LA POMME DE TERRE

Alex Barker,
avec des recettes de Sally Mansfield

Traduit de l'anglais par Gisèle Pierson

LA POMME DE TERRE, SON HISTOIRE

Peu d'aliments sont plus importants que la pomme de terre. Son histoire remonte aux premiers jours de l'existence de l'homme, long passé de périodes de prospérité et de disette. Elle joue depuis longtemps, et continuera à jouer, un rôle essentiel en tant que source de nourriture pour l'humanité.

La pomme de terre fut découverte par les Indiens pré-Incas au pied des montagnes des Andes, en Amérique du Sud. Des restes archéologiques datant de 400 av. J.-C. ont été trouvés sur les rives du lac Titicaca, dans des ruines proches de la Bolivie et sur la côte du Pérou. Cultivé par les Incas, le tubercule influençait toute leur vie. La déesse péruvienne de la pomme de terre était représentée avec un plant du légume dans chaque main. Les Indiens d'Amérique du Sud mesuraient le temps à la durée de sa cuisson. Des dessins de pommes de terre ont été retrouvés sur des poteries Nazca et Chimús. La pomme de terre crue, placée sur un os brisé, était censée prévenir les rhumatismes.

Les pommes de terre primitives, allant de la taille d'une noix à celle d'une petite pomme, et dont la couleur variait du rouge au jaune en passant par le bleu et le noir, abondaient dans ces hauts plateaux tempérés. Le conquistador espagnol Pedro Cieza de Leon en parle pour la première fois en 1553, et bientôt ce légume essentiel fut ajouté aux trésors rapportés par les envahisseurs espagnols. La pomme de terre devint rapidement un aliment de base sur les bateaux espagnols et les marins s'aperçurent qu'elle protégeait du scorbut.

Des pommes de terre furent achetées pour la première fois par un hôpital de Séville, en 1573. Les tubercules se répandirent rapidement en Europe par l'intermédiaire d'explorateurs comme Sir Francis Drake qui les introduisit en Grande-Bretagne. La reine Elizabeth I donna alors 20 000 hectares de terres, en Irlande, à Sir Walter Raleigh, pour cultiver des pommes de terre et du tabac. Les botanistes et les savants étaient fascinés par cette plante nouvelle (John Gerard la mentionne dans son herbier, en 1597), et il est fort possible que les pommes de terre aient d'abord été cultivées pour la recherche botanique. Au cours du règne de Charles II, la Royal Society décida que le tubercule était un aliment nutritif et bon marché et, dans un contexte toujours présent de famine et de guerre, les gouvernements de l'Europe essayèrent de persuader les fermiers de cultiver intensivement ce précieux légume.

Cependant, la pomme de terre était entourée d'une réputation plutôt maléfique. Faisant partie de la famille de la belladone, elle était considérée comme vénéneuse, provoquant la lèpre et la syphilis, et comme un dangereux aphrodisiaque. En France, un jeune chimiste, Antoine Augustin Parmentier, entreprit de convertir les Français et le roi Louis XVI grâce aux recettes qu'il avait concoctées (hachis Parmentier, entre autres) et persuada Marie-Antoinette d'ajouter à sa

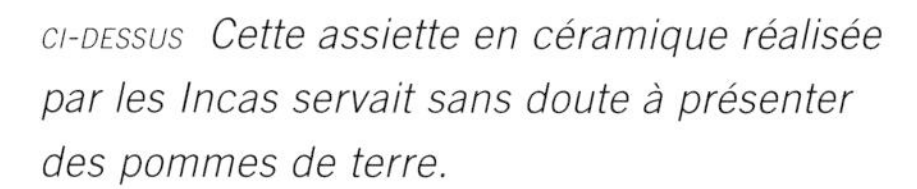

CI-DESSUS *Cette assiette en céramique réalisée par les Incas servait sans doute à présenter des pommes de terre.*

CI-DESSUS *Le navire dans lequel Francis Drake rapporta des pommes de terre en Angleterre.*

CI-DESSUS *Fleur de pomme de terre.*

coiffure des fleurs de pomme de terre. Dans certains cas, il fallut convaincre de façon plus musclée. Le roi Frédéric de Prusse ordonna à son peuple de planter les tubercules pour échapper à la famine, mais il dut menacer de couper le nez et les oreilles de ceux qui refuseraient.

Les immigrants européens introduisirent bientôt ces tubercules en Amérique du Nord, mais il fallut attendre que les Irlandais les importent en 1719, à Londonderry, dans le New Hampshire, pour qu'elles soient cultivées en quantité significative. Au début du XIXe siècle, Lord Selkirk émigra avec un groupe d'habitants de l'île de Skye, en Écosse, pour s'installer à Orwell Point, sur l'île du Prince Edward, au Canada et la communauté réussit à survivre pendant plusieurs années grâce aux pommes de terre qu'il avait apportées d'Écosse et à la morue.

Vers la fin du XVIIIe siècle, la pomme de terre était de plus en plus cultivée, surtout en Allemagne et en Grande-Bretagne. Les paysans irlandais consommaient quotidiennement une moyenne de dix pommes de terre par personne, qui constituaient 80 % de leur alimentation. En outre les tubercules servaient de nourriture pour les animaux qui leur donnaient du lait, de la viande et des œufs. Cette dépendance absolue se révéla désastreuse pour les Irlandais quand la maladie du *phytophthora infestans* frappa les récoltes pendant trois années consécutives, vers 1840. Plus d'un million de personnes moururent.

Les Irlandais qui, pour échapper à la famine, émigrèrent en masse dans le nord de l'Angleterre, en Europe et en Amérique, avaient conservé leur amour de la pomme de terre. Le gouvernement britannique avait enfin reconnu la pomme de terre comme aliment nutritif, bon marché et de culture facile et favorisait les jardins ouvriers pour y cultiver le légume. La crainte d'un autre désastre affectant les tubercules ajoutée à un nouvel intérêt pour ses possibilités culinaires entraînèrent le développement de nouvelles variétés dans toute l'Europe, dont plusieurs centaines furent présentées à l'Exposition internationale de la pomme de terre à l'Alexandra Palace, à Londres, en 1879. Au début du siècle la pomme de terre était devenue un légume essentiel, exporté dans toute l'Europe.

LA POMME DE TERRE DANS LE MONDE ACTUEL

Aujourd'hui, la pomme de terre est l'aliment de base des deux tiers de la population mondiale et tient la troisième place parmi les légumes. C'est une manne pour l'homme, aliment nourrissant, source d'hydrates de carbone, de fer et surtout de magnésium. La culture des pommes de terre est aussi le moyen le plus efficace de convertir la terre, l'eau et le travail en produit consommable, un champ de pommes de terre produisant plus d'énergie au mètre carré que tout autre légume.

CI-DESSUS *Le grand hall d'exposition de l'Alexandra Palace de Londres.*

CI-DESSUS *Fleur de la patate douce* (ipomoea batatas).

Les statistiques concernant la production mondiale montrent que la Russie est encore le plus grand producteur de pommes de terre du monde, suivie de près par la Pologne, la Chine et les États-Unis.

Cependant, les habitudes alimentaires sont en train de changer et, sous l'influence de la cuisine méditerranéenne incluant les pâtes et le riz comme aliments de base, la culture de la pomme de terre se pratique selon d'autres exigences. Bien que les ventes de pommes de terre soient toujours aussi importantes, elles se répartissent différemment, la plus grande partie étant préemballée, la plupart du temps sous forme de frites. Ces frites sont souvent surgelées, en particulier en Amérique et en Extrême-Orient. Mais la surgélation des pommes de terre n'est pas nouvelle ; il y a 2 000 ans, les premiers Incas transformaient déjà les pommes de terre en *chuno,* par un processus de congélation naturelle et de séchage, ce qui leur permettait de les garder beaucoup plus longtemps.

La pomme de terre possède de nombreux noms dans le monde entier ; *potato, kartoffel, patata, batateirs, batala surrato, pompiterre, bombiderre, castanhola* (châtaigne d'Espagne) font partie de ses noms européens. Chez les Chinois on trouve, entre autres, *shanyao* (remède de montagne), *didan* (œuf de terre), *fanzaishu* (pomme de terre aux nombreux enfants) et *aierlanshu* (pomme de terre irlandaise).

CYCLE DE VÉGÉTATION DE LA POMME DE TERRE

La pomme de terre est apparentée à la tomate et au tabac. Son nom botanique est *solanum tuberosum,* de la famille des *solanaceae,* et le tubercule est la seule partie comestible. La plante est buissonnante et étalée, avec des touffes de feuilles vertes. Elle donne des fleurs qui peuvent être blanches, violettes ou rayées et parfois des fruits jaune-vert qui contiennent 100 à 300 graines en forme de haricot. Quand la pomme de terre est cultivée à partir de ces graines, elle produit une tige aérienne et une racine souterraine. La tige commence par former des feuilles, puis des fleurs et, quand elles meurent, l'énergie disponible est transformée en fécule sous la terre, dans des tubercules qui se développent à l'extrémité des racines. Ces tubercules, les pommes de terre, grossissent à mesure que la fécule se forme.

Les pommes de terre possèdent des bourgeons visibles sur leur surface (ce sont les « yeux » que nous retirons avant de les consommer), qui vont former des germes. Certains germes se développeront suffisamment pour donner de nouveaux plants, en utilisant la nourriture enfermée dans le tubercule. Ces tubercules sont les pommes de terre de semence ou plants, que les jardiniers et la plupart des cultivateurs achètent chaque année. En fait, il suffit d'un morceau de pomme de terre comportant un œil pour produire un nouveau plant.

Produire les plants à partir de graines est beaucoup plus compliqué. La pollinisation des fleurs doit se faire dans un environnement contrôlé pour que le plant qui en résulte soit conforme aux caractéristiques attendues. Tous les pays producteurs, et en particulier les Pays-Bas, les États-Unis, le Pérou et la Grande-Bretagne, possèdent des laboratoires où

CI-DESSUS *Sélection de pommes de terre rares, de gauche à droite à partir du haut : Mr Bressee, international kidney, blue catriona, champion, edgcote purple, arran victory.*

sont conservées les variétés passées de mode (pour la recherche génétique et pour la sauvegarde) et où les chercheurs travaillent sans cesse sur de nouvelles variétés. Leur principal objectif cependant est de développer des plants permettant d'optimiser la production dans les divers climats du globe. Les scientifiques cherchent essentiellement à créer des variétés qui résistent aux virus et aux maladies, ou qui se conservent plus longtemps, ou encore qui répondent aux exigences culinaires, en particulier pour les frites et la conserve. Il est rare, bien entendu, de trouver toutes les qualités désirées dans une seule variété. En fait, seul un plant sur 100 000 environ est enregistré comme cultivar (variété nouvelle possible).

Ce cultivar est soumis alors à de nombreux essais et peut attendre encore trois ou quatre ans avant d'apparaître sur le marché. Il existe plusieurs milliers de variétés dans le monde, dont seulement une petite fraction est produite de façon régulière. Les pays qui possèdent des laboratoires de recherche informent chaque année les producteurs de plants. En Grande-Bretagne, il existe environ 700 variétés enregistrées au *Department of Agriculture and Fisheries for Scotland,* recensées dans la collection Douglas M MacDonald. La *Potato Association of America* répertorie jusqu'à 4 000 variétés, mais l'*International Potato Center* du Pérou (CIP) possède la plus grande banque génétique avec 3 694 cultivars.

Bien que des variétés comme blue don, elephant, king kidney, perthshire red, the howard et victoria, dont certaines remontaient au XVIe siècle, aient disparu, d'autres noms plus célèbres sont sauvegardés dans diverses collections. Parmi celles-ci congo, une pomme de terre bleu vif d'avant 1900, edgecote purple et champion. D'autres variétés anciennes connaissent un renouveau. Des noms comme Mr Bressee, blue catriona et arran victory réapparaissent dans les boutiques. Le jardinier amateur qui achète ses plants dans les catalogues peut maintenant expérimenter toute une gamme de nouvelles variétés.

DU CHAMP À LA TABLE

La pomme de terre est cultivée dans plus de 180 pays, depuis le niveau de la mer jusqu'à 4 200 m d'altitude et sous toutes sortes de climats. Elle arrive à maturité (de 90 à 140 jours) plus vite que tous les autres aliments de base. Tout dépend cependant de la connaissance qu'a le producteur de sa ou ses variétés de pommes de terre. Il s'agit de trouver la « bonne » pomme de terre pour un marché donné, puis de tirer le meilleur parti de l'environnement, le tout constituant une technologie à part entière.

La culture industrielle de la pomme de terre est extrêmement mécanisée, de la plantation à la récolte. Des machines creusent dans le champ des sillons où les planteurs mécaniques laissent tomber les pommes de terre de semence. Des machines actionnées par des ordinateurs déterminent la profondeur des sillons, l'espacement des pommes de terre de semence et la fertilisation du sol, sans oublier le traitement des parasites et des maladies. Au moment de la récolte, les machines se chargent de déterrer les pommes de terre, par plusieurs rangées à la fois. Les tubercules, nettoyés mécaniquement de la terre et des cailloux et rapidement séchés à l'air chaud, sont rangés dans des boîtes isolantes, dans des entrepôts à la ventilation contrôlée. Les pommes de terre destinées au marché local sont classées selon leur grosseur avant d'être ensachées.

CI-DESSUS *Calibrage des pommes de terre à l'aide d'une machine.*

Après la récolte, les pommes de terre sont soumises à une température de 15 à 18 °C, avant d'être conservées définitivement juste au-dessus de 0 °C. Le procédé empêche les tubercules de germer, mais ils doivent cependant être traités s'ils sont conservés jusqu'à dix mois. À cette température, la fécule de la pomme de terre va se transformer en sucre. Pour reconvertir le sucre en fécule, le tubercule, avant d'être employé, sera donc à nouveau soumis à une température de 15 à 18 °C. Dans les petites exploitations et dans les régions où les ouvriers de ferme ne manquent pas, un grand nombre de ces tâches sont souvent accomplies manuellement. Dans les régions très rurales, on peut encore voir les pommes de terre entassées dans des silos sous un matelas de terre et de paille, qui les garde au sec et à l'abri des gelées.

CI-DESSUS *La yanaimilla et la compis descendent des pommes de terre sud-américaines originales.*

Les pommes de terre sont classées par rapport à leur durée de végétation bien que cette durée puisse être modifiée par le temps et le climat. Les primeurs ou très précoces, également appelées pommes de terre nouvelles, sont plantées au début du printemps pour être récoltées 100 à 110 jours plus tard, au début de l'été. Les précoces sont plantées à la fin du printemps et récoltées 110 à 120 jours plus tard, du milieu à la fin de l'été. Les pommes de terre dites de conservation sont plantées au printemps mais ne sont récoltées que 125 à 140 jours plus tard, à la fin de l'été, et se conserveront tout l'hiver alors que les précoces se consomment aussitôt.

Quand une jeune pomme de terre est déterrée, elle présente une peau fragile qui s'enlève par frottement. À mesure que le tubercule mûrit, la peau durcit et après un certain temps, elle doit être pelée avec un couteau ; sa chair est alors beaucoup plus farineuse. Les pommes de terre de conservation doivent rester le plus longtemps possible en terre pour que leur peau épaississe. Vous pouvez trouver sur les marchés la même variété sous forme de tendre petite pomme de terre nouvelle ou de grosse pomme de terre ferme de conservation, pour peu qu'elles aient été cultivées dans des régions différentes par des producteurs différents.

ÉLÉMENTS NUTRITIFS

Pour une grande partie du monde, la pomme de terre est la source la plus importante de vitamine C, particulièrement dans les pays pauvres où les fruits sont peu nombreux et les suppléments alimentaires inexistants. La vitamine C est indispensable pour combattre les infections et garder des muscles, une peau et des os en bonne santé. Contrairement à beaucoup de légumes, la pomme de terre entière est comestible et nutritive, elle apporte d'importantes quantités d'hydrates de carbone, de vitamines (B et C) et de sels minéraux, et peut être cuite de nombreuses façons selon les climats, les traditions ethniques et les capacités culinaires. En outre, pour les sociétés occidentales trop bien nourries, la pomme

CI-DESSUS *La compis et la yanaimilla ne sont cultivées que par les fermiers andins locaux.*

de terre contient une quantité non négligeable d'un élément essentiel à notre santé, les fibres.

CI-DESSUS *Cuite au four, la pomme de terre est une bonne source d'hydrates de carbone, de fibres et de vitamine C.*

La pomme de terre est constituée de 75 % d'eau ou plus selon le mode de cuisson. La majeure partie du reste, 17 %, est de la fécule (hydrate de carbone complexe). Selon les nutritionnistes occidentaux, au moins 40 % de notre apport calorique quotidien devrait être représenté par des « sucres lents » comme la pomme de terre. Une pomme de terre cuite au four, de 300 grammes environ, apporte 250 calories. La pomme de terre contient aussi 2,1 % de protéines, 1,3 % de fibres, une bonne quantité de vitamine C, aucune graisse ou presque et d'importants oligo-éléments tels l'acide folique (pour les globules rouges), le potassium et le magnésium (pour le système nerveux) et le fer (pour l'oxygénation sanguine). La pomme de terre nouvelle est très riche en vitamine C : une portion de 100 grammes fournissant 23 % de nos besoins journaliers.

Les méthodes de conservation et de cuisson des pommes de terre transportent aussi leur valeur nutritive. La vitamine C peut être perdue si elles sont conservées à la lumière ou si elles trempent dans l'eau avant et pendant la cuisson. Les frites, curieusement, ne sont pas aussi anti-diététiques qu'on le dit. Comme elles ne sont pas cuites à l'eau, elles retiennent davantage de vitamine C, plus que si elles sont cuites au four, En fait, 100 grammes de frites apportent moins de calories que 100 grammes de muesli aux fruits secs.

CULTIVER SES POMMES DE TERRE

Les pommes de terre poussent dans la plupart des sols. Que vous possédiez un petit coin de jardin ou un grand potager, que vous soyez un jardinier chevronné ou néophyte, vous obtiendrez une bonne récolte avec un minimum d'efforts. Comme 1 kilo à peine de semences de pommes de terre produit environ 25 kilos de tubercules, quelques plants vous suffiront probablement, à moins que vous ayez une grande famille et que vous disposiez de beaucoup de place. Les pommes de terre précoces ont un moindre rendement que celles de conservation et demandent moins d'espace.

PRÉPARATION

Préparez le sol à l'automne avant qu'il soit durci par les gelées, en désherbant soigneusement et en enfouissant un seau de fumier ou de compost par mètre carré. Deux semaines avant de planter, retournez la terre en lui ajoutant les engrais recommandés. Les pommes de terre prennent de la place, 1 à 1,20 m² pour 1 kilo de semences. Pour accélérer la germination et obtenir une meilleure récolte, vous pouvez placer, fin janvier, les semences dans une pièce peu chauffée ou dans la serre.

PLANTATION

Sous la plupart des climats, les pommes de terre très précoces peuvent être plantées à partir du milieu du printemps ; dans les régions plus froides, attendez la fin du printemps.

1 Avec une binette, faites des sillons profonds de 10 cm et espacés de 50 cm et jusqu'à 60 cm pour les pommes de terre de conservation. Posez les semences dans les sillons, bourgeons vers le haut.

2 Recouvrez les sillons de terre en formant une petite butte.

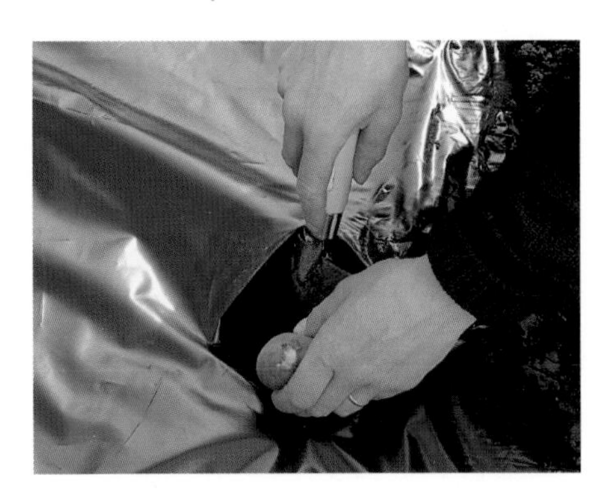

3 Pour éviter le désherbage et protéger des gelées, plantez les semences sous un film plastique noir que vous maintiendrez en enterrant les bords.

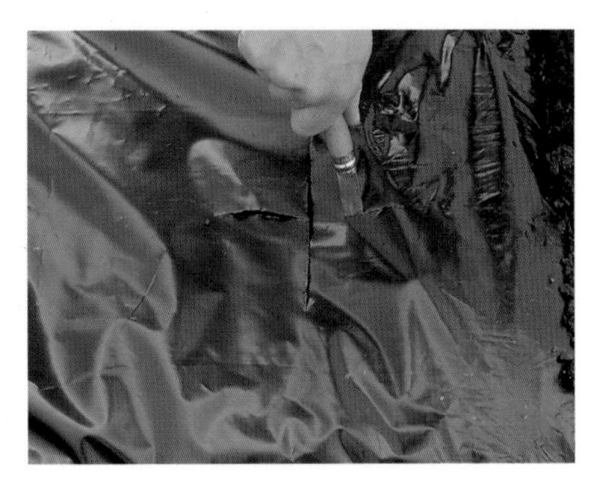

4 Pratiquez plusieurs entailles en croix à l'endroit où les pommes de terre seront plantées, en vérifiant que chaque semence est bien recouverte de 5 cm de terre au minimum.

PROTECTION

Quand les pousses commencent à sortir de terre, procédez au buttage à l'aide d'une binette. Continuez à butter toutes les deux semaines, jusqu'à ce que le feuillage des rangées se rejoigne, les monticules devant atteindre 15 cm environ. Arrosez occasionnellement si le printemps est très sec, ou plus fréquemment pour les pommes de terre précoces.

RÉCOLTE

Sous les climats tempérés, les pommes de terre précoces se récoltent à partir du début de l'été, 12 à 14 semaines environ après la plantation. Vous pouvez commencer la récolte en dégageant la terre de buttage. Si les tubercules du dessus sont encore trop petits, remettez la terre en place.

Les pommes de terre de conservation restent en terre jusqu'à ce que le feuillage soit fané, les tubercules continuant à grossir et la peau à se raffermir. Pour vous assurer de leur maturité, déterrez un ou deux tubercules et frottez-en la surface. Si la peau s'enlève facilement, les pommes de terre ne sont pas encore prêtes à la consommation.

1 Déterrez les pommes de terre avec une large fourche et répartissez-les en deux groupes, selon leur grosseur. Laissez-les sécher 1 à 2 h sur le sol.

2 Conservez-les dans des grands sacs de jute ou dans des cageots. Protégez-les avec de la paille et conservez-les à l'abri de l'humidité et des gelées, dans un local sombre et frais. Un garage convient, à condition qu'il ne soit pas trop froid.

TECHNIQUES DE PRÉPARATION

La teneur en sels minéraux et en vitamines des pommes de terre, ainsi que leur mode de cuisson, vont dépendre de la technique de préparation.

NETTOYER LES POMMES DE TERRE

La plupart des pommes de terre du commerce étant très propres, surtout celles des supermarchés et les celles préemballées, il suffit généralement de les passer sous le robinet avant de les faire bouillir. Les pommes de terre des maraîchers locaux, des fermes ou de votre jardin, peuvent être terreuses ; dans ce cas, frottez-les sous l'eau avant de les faire cuire. Si vous ne les utilisez pas aussitôt, évitez de les mouiller si le temps est chaud et humide, car elles risqueraient de moisir.

1 Si les pommes de terre sont très sales, nettoyez-les avec une brosse ou une éponge gratteuse. Procédez de même pour les pommes de terre nouvelles.

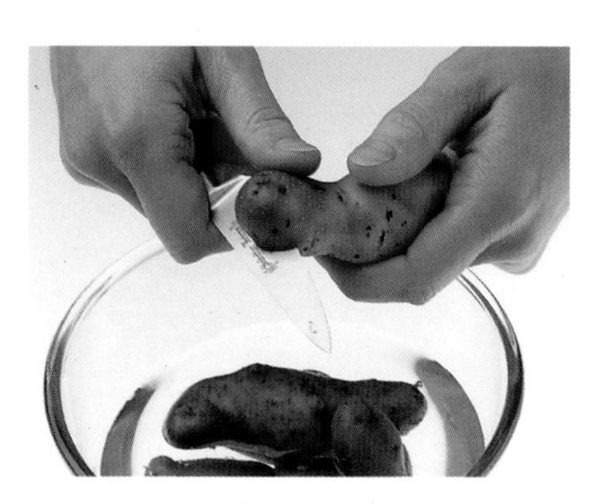

2 Retirez les parties vertes ou noires ainsi que les « yeux » avec un couteau pointu ou un couteau économe, à moins que vous n'épluchiez les pommes de terre après cuisson, auquel cas ils partiront facilement avec la peau.

ÉPLUCHER LES POMMES DE TERRE

La saveur et le parfum de la pomme de terre se situent en grande partie dans la peau et juste dessous. Vous pouvez faire cuire les tubercules à l'eau bouillante et les éplucher ensuite, quand ils ont refroidi. Le goût de la pomme de terre sera ainsi préservé au maximum. En laissant une partie de la peau, le tubercule sera encore plus savoureux et vous apportera en outre une quantité supplémentaire de fibres.

Les pelures permettent de réaliser des chips saines et délicieuses.

Pelez les pommes de terre en longs rubans avec un épluche-légumes (il en existe plusieurs variétés), afin de réduire au minimum l'épaisseur de la pelure. Il vaut mieux les faire cuire aussitôt (pour éviter la perte en vitamine C) mais si cela est impossible, mettez-les dans une casserole en les recouvrant tout juste d'eau.

Pour éplucher des pommes de terre cuites à l'eau et encore bouillantes (ce qui est plus facile), tenez la pomme de terre brûlante avec une fourchette et pelez-la avec précaution.

GRATTER LES POMMES DE TERRE

Les vraies pommes de terre nouvelles s'épluchent très facilement en les frottant simplement entre les mains, ce qui est d'ailleurs un critère de qualité.

Grattez la peau avec un petit couteau pointu et mettez aussitôt la pomme de terre dans l'eau froide.

ÉPLUCHER À L'ÉPLUCHEUSE ÉLECTRIQUE

Les pommes de terre tournent dans le tambour de la machine et un disque éplucheur ou des râpes en inox en retirent la peau par frottement. Le même genre de machine, mais manuelle, existait autrefois. Le résultat n'est pas parfait et l'éplucheuse électrique convient surtout pour les pommes de terre nouvelles.

Lavez les pommes de terre, mettez-les dans le tambour avec de l'eau, puis laissez tourner 2 à 3 min. Retirez les pommes de terre qui sont bien pelées et laissez tourner les autres encore quelques minutes. Mettez-les dans l'eau froide, en attendant de les utiliser. Respectez les quantités recommandées pour obtenir un meilleur résultat.

RÂPER MANUELLEMENT

Les pommes de terre peuvent être râpées avant ou après cuisson, selon leur destination. Elles sont plus faciles à râper après cuisson et refroidissement, directement dans le plat de cuisson ou dans la poêle. Attention à ne pas trop les cuire, surtout si elles sont farineuses, sous peine de les voir s'écraser. Les pommes de terre farineuses sont parfaites pour la purée, les pommes de terre à chair ferme pour les röstis ou les paillassons.

Les pommes de terre crues exsudent une quantité surprenante d'eau farineuse, indispensable pour que certains plats restent homogènes. Vérifiez la recette pour savoir si vous devez ou non garder cette « eau ». Il vous faudra peut-être en effet rincer les pommes de terre pour les débarrasser de leur eau ou au contraire simplement les sécher sur du papier absorbant. Ne râpez pas à l'avance les pommes de terre crues, la pulpe noircirait.

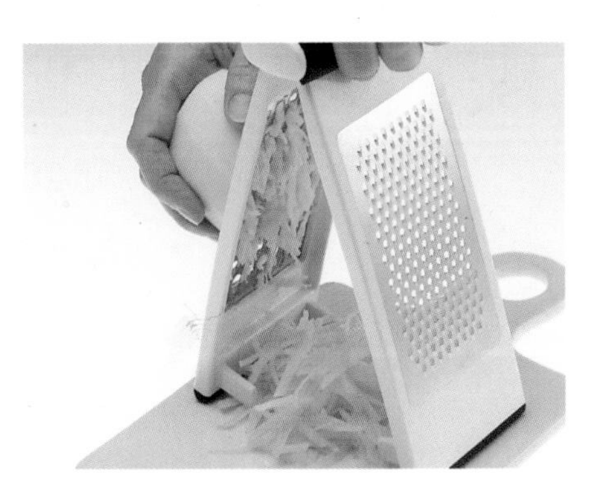

Râpez les pommes de terre crues sur une planche, avec une râpe classique.

Si l'eau exsudée est utilisée dans la recette, râpez dans une jatte, à l'aide d'une râpe à gros ou moyens trous. Pressez la pulpe entre vos mains pour récolter l'eau.

HACHER OU COUPER EN MORCEAUX

Les pommes de terre doivent souvent être hachées ou tout au moins coupées en très petits morceaux pour diverses recettes. Si elles doivent d'abord être cuites, préférez les pommes de terre à chair ferme. Elles sont plus faciles à hacher quand elles sont refroidies et pelées.

Coupez la pomme de terre en deux, puis à nouveau en deux, et ainsi de suite, jusqu'à obtention de la grosseur désirée.

COUPER EN DÉS OU EN CUBES

Si la recette nécessite de couper les pommes de terre en dés, la coupe devra être beaucoup plus précise pour obtenir des petits cubes bien égaux. Ceux-ci doreront ainsi facilement et uniformément de tous côtés.

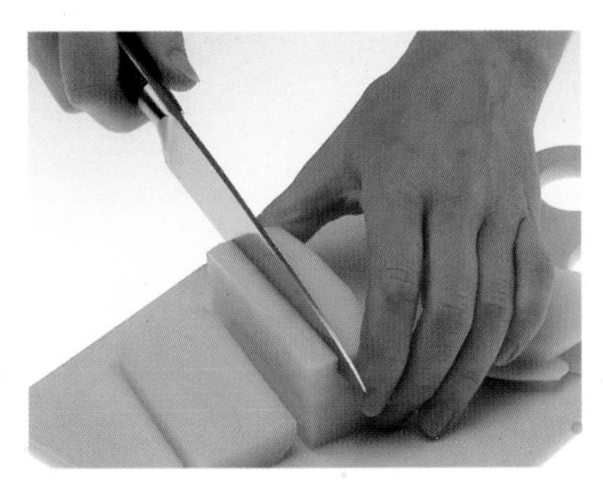

1 Détaillez la pomme de terre pour qu'elle forme un rectangle bien net (gardez les « pertes » pour la soupe ou la purée), puis coupez ce rectangle en tranches épaisses et régulières.

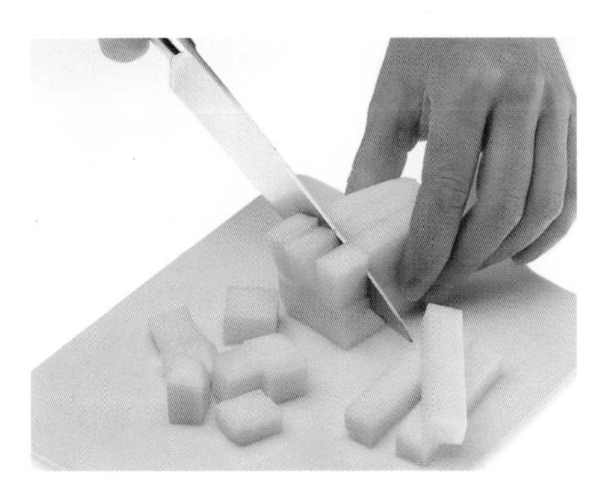

2 Empilez les tranches, coupez-les en longs bâtonnets puis à nouveau dans l'autre sens, pour obtenir des cubes de la grosseur désirée.

ÉMINCER À LA MAIN

Si de façon générale, il importe peu que les tranches soient parfaitement uniformes, il arrive cependant que leur épaisseur et leur régularité influent sur l'aspect et le temps de cuisson du plat. Essayez d'obtenir des tranches de la même épaisseur pour que la cuisson soit la même partout.

Prenez un couteau à large lame et très bien aiguisé. Pour faire des tranches arrondies, coupez dans la largeur de la pomme de terre, pour des tranches plus longues, coupez dans la longueur. Si vous devez émincer des pommes de terre cuites, elles doivent être tout juste cuites et bien refroidies. La plupart des gratins et ragoûts demandent des tranches de 3 mm d'épaisseur.

Posez d'abord la pointe du couteau sur la surface de travail puis abaissez le manche pour obtenir de jolies tranches régulières.

ÉMINCER AVEC UNE MANDOLINE

Parente de l'instrument musical qui porte le même nom, la mandoline possède plusieurs lames coupantes, fixées dans un cadre en bois, en métal ou en plastique, et permettant de varier la taille et la forme des tranches obtenues. Elle peut donner des tranches très fines aussi bien que très épaisses ou cannelées. C'est un gadget dangereux que vous devez utiliser avec précaution, ses lames étant extrêmement affûtées. Vous pouvez obtenir différentes épaisseurs, moyenne (2 à 3 mm) pour les pommes de terre sautées, par exemple, ou très fine pour les chips.

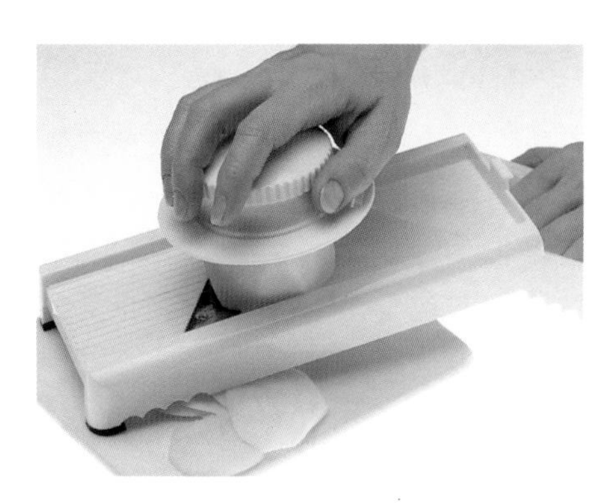

TRANCHES SIMPLES

Réglez la lame à l'épaisseur désirée puis, en tenant la pomme de terre, faites-la glisser sur la lame dans un mouvement de va-et-vient. Pour plus de sûreté, maintenez le tubercule avec le chariot de protection fourni avec l'appareil.

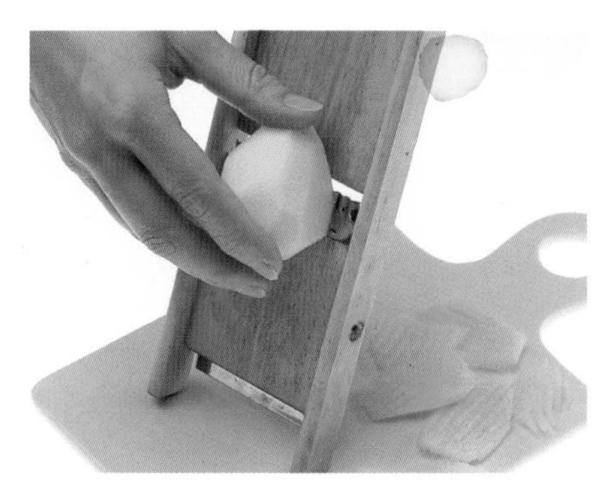

TRANCHES CANNELÉES

Pour obtenir des tranches cannelées, coupez la pomme de terre avec la lame ondulée en faisant attention à ne pas vous couper les doigts.

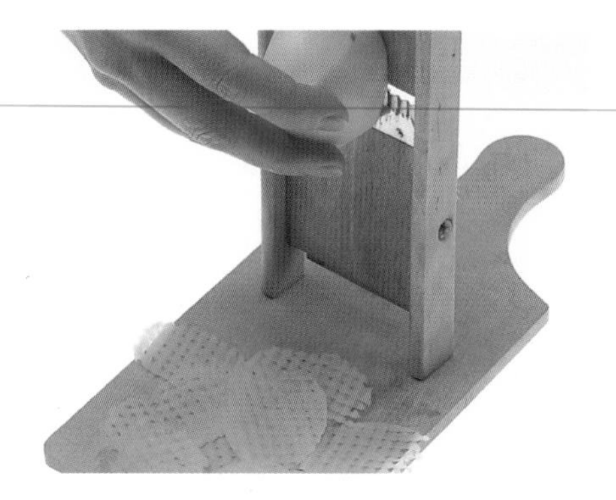

POMMES GAUFRETTES

Pour obtenir des « pommes gaufrettes », coupez en changeant l'orientation de la pomme de terre à chaque passage.

FAIRE DES CHIPS

Les chips maison sont les meilleures, mais elles peuvent être difficiles à couper si vous ne possédez pas les bons ustensiles.

S'il vous en faut beaucoup, émincez les pommes de terre dans un robot mais, pour une petite quantité, la lame d'une râpe classique devrait suffire à obtenir des tranches assez fines. Vous pouvez aussi utiliser un couteau bien aiguisé, en faisant très attention.

Chips à la râpe

Pour faire des chips très fines, tenez solidement une râpe classique sur une planche à découper, en interposant un torchon humide pour l'empêcher de glisser. Passez la pomme de terre avec précaution sur la lame qui doit être très bien aiguisée. Réglez-la à l'épaisseur désirée et, si elle n'est pas réglable, appuyez très légèrement. Plus la pression est forte, plus les tranches sont épaisses.

Chips au couteau

Cette méthode convient pour une petite quantité de chips épaisses. Tenez fermement une extrémité de la pomme de terre sur une planche à découper et coupez des tranches épaisses (3 mm), avec un couteau aiguisé. Il est plus facile de régler l'épaisseur des chips en les coupant à la main. Rappelez-vous que plus la tranche est épaisse, moins elle absorbera d'huile pendant la cuisson.

COUPER DES LANIÈRES

Vous pouvez obtenir de minces lanières (à frire comme les chips) avec un simple épluche-légumes. Gardez les « chutes » pour la soupe.

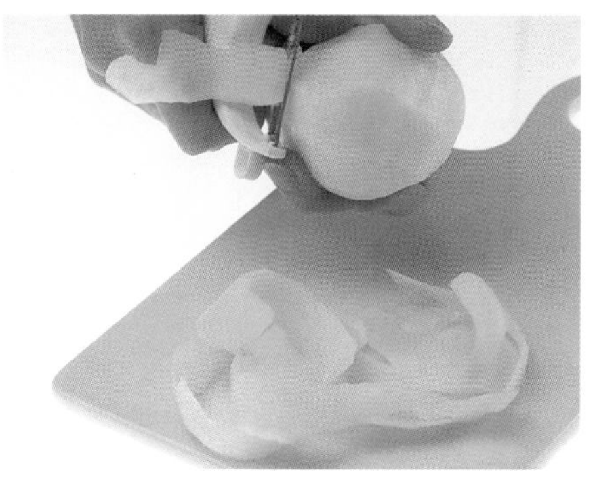

Pour faire des lanières, pelez la pomme de terre en rond comme pour une pomme. Vous obtiendrez ainsi de très longues bandes. Travaillez rapidement ou bien mettez les lanières au fur et à mesure dans une jatte d'eau froide, pour les empêcher de noircir.

FAIRE DES FRITES

Les frites possèdent des noms variés, selon leur épaisseur. Plus elles sont grosses, moins elles absorberont de graisse à la cuisson et meilleures elles seront pour votre santé. Vous pouvez aussi laisser la peau (qui vous apportera des fibres).

Grosses frites anglaises

Prenez des grosses pommes de terre et émincez-les en tranches d'environ 1,5 cm, selon votre goût. Posez les tranches à plat, puis détaillez-les en bâtonnets d'à peu près 1,5 cm, selon votre préférence.

Frites en tranches

Vous pouvez aussi faire des frites en tranches. Coupez d'abord les pommes de terre en deux dans la longueur, puis détaillez-les en longues tranches minces.

Pommes frites

Émincez comme pour les frites classiques, puis coupez en bâtonnets de 6 mm d'épaisseur, à la main ou à la machine.

Pommes allumettes

Coupez la pomme de terre en rectangle en retirant les bords arrondis, émincez en fines tranches puis coupez en julienne de 3 mm d'épaisseur.

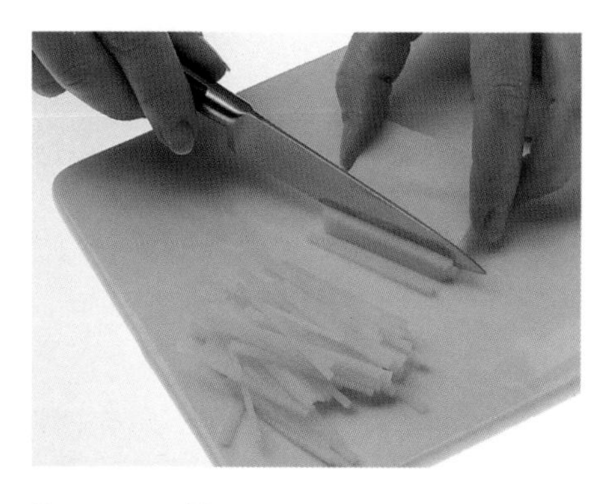

Pommes pailles

Procédez comme pour les pommes allumettes, mais en julienne plus fine. Ces pommes sont souvent sautées à la poêle.

Frites au coupe-frites

Vous pouvez couper les frites avec un coupe-frites spécial *(voir Matériel et ustensiles)*. Coupez la pomme de terre à la dimension de l'instrument.

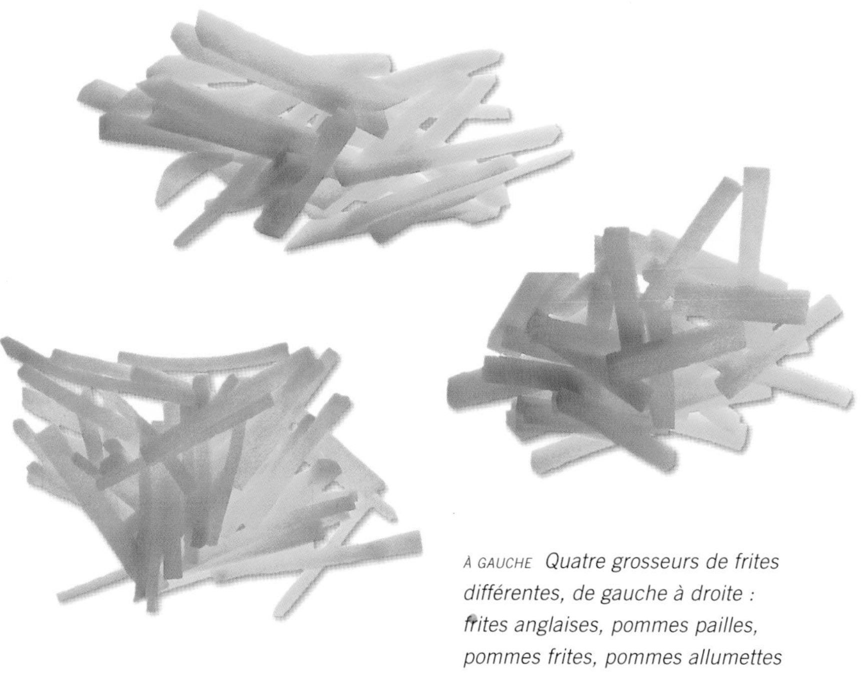

À GAUCHE *Quatre grosseurs de frites différentes, de gauche à droite : frites anglaises, pommes pailles, pommes frites, pommes allumettes*

COUPER EN HÉRISSON ET EN ÉVENTAIL

Elles ressemblent à ces gentilles petites bêtes quand elles sortent du four bien dorées et bien rôties. Épluchez et séchez les pommes de terre puis émincez-les comme indiqué, enduisez-les d'huile au pinceau et faites-les rôtir aussitôt, avant qu'elles ne commencent à noircir.

Pour faire une pomme de terre hérisson, coupez en deux une grosse pomme de terre et posez le côté coupé sur la planche. Avec un couteau aiguisé, coupez des tranches très minces en travers, mais sans les détacher complètement.

Pour faire une pomme de terre éventail, prenez une pomme de terre moyenne, longue ou ovale et émincez-la légèrement en biais, sans détacher complètement les tranches. Appuyez doucement sur la pomme de terre pour qu'elle s'aplatisse et s'ouvre en éventail. Si vous n'avez pas coupé assez loin, l'éventail sera presque fermé, mais si vous avez coupé trop loin, il va se séparer en plusieurs parties. La meilleure façon de cuire une pomme de terre hérisson ou éventail, est de la mettre dans un four préchauffé à 190 °C (th. 6), 40 à 45 min, après l'avoir enduite de beurre fondu et d'huile.

FAÇONNER LES POMMES DE TERRE

Amusez-vous de temps en temps à transformer les pommes de terre en œuvres d'art et entraînez vos enfants dans cette entreprise pour les encourager à s'intéresser à la préparation des repas familiaux. Les restes de pommes de terre serviront pour la soupe ou la purée.

Pour faire des pommes de terre boules, prenez de grosses pommes de terre à chair ferme. Épluchez-les, puis enfoncez dans la chair une cuillère parisienne et détachez une boule par un mouvement de torsion. Laissez dans l'eau jusqu'à usage, séchez sur du papier absorbant et faites rôtir ou sauter à la poêle.

Pour faire des pommes de terre « tournées » ou ovales, commencez par peler des petites ou moyennes pommes de terre (ou bien des grosses coupées en quatre), coupez une tranche à chaque extrémité, puis façonnez en ovale avec un petit couteau.

Pour faire des « quartiers », coupez les pommes de terre en deux dans la longueur, puis en quatre, puis en huit. Enduisez d'huile au pinceau et faites rôtir au four ou frire. Plus le quartier est épais, moins il absorbera de graisse.

PRÉPARER AU ROBOT

Certains robots exécutent la plupart des opérations indiquées ci-dessus : ils épluchent, râpent, émincent, hachent et réduisent en purée. Pour obtenir de bons résultats, coupez toujours les pommes de terre à la même taille, procédez à vitesse lente ou par impulsions, de façon à contrôler le résultat. Faites cuire les pommes de terre aussitôt ou lavez-les et séchez-les sur du papier absorbant pour les empêcher de noircir.

Les frites maison sont toujours meilleures, mais les couper à la main prenant beaucoup de temps, il vaut mieux utiliser le coupe-frites.

Équipez le robot du disque adéquat et empilez les pommes de terre dans la cheminée de remplissage. Actionnez à vitesse lente tout en appuyant sur les pommes de terre. Plus la pression est forte, plus les frites seront épaisses.

Les frites seront peut-être légèrement incurvées, ce qui n'en changera pas le goût. Pour obtenir des frites régulières, changez le disque, empilez les pommes de terre dans le même sens et continuez comme ci-dessus.

MODES DE CUISSON

Il existe d'innombrables façons de cuire les pommes de terre. Le mode de cuisson doit être adapté à la variété de la pomme de terre et au plat que vous préparez.

BLANCHIR

Les pommes de terre sont blanchies (cuisson partielle) pour ramollir la peau et l'ôter plus facilement, pour éliminer une partie de l'amidon ou pour les précuire avant de les rôtir. Entières ou en gros morceaux, elles seront retirées de l'eau avec une écumoire ; les petites pommes de terre seront mises dans un panier.

Mettez les pommes de terre dans une casserole d'eau froide. Portez lentement à ébullition et laissez bouillir 2 à 5 min, selon la taille, puis égouttez-les et laissez-les dans de l'eau froide si vous ne les utilisez pas immédiatement.

CUIRE À L'EAU

C'est la façon la plus simple de faire cuire les pommes de terre. Mettez des pommes de terre de grosseur égale, entières ou en morceaux, avec ou sans peau (les patates douces sont meilleures avec la peau) dans une casserole en les couvrant tout juste d'eau. Ajoutez 1 pincée de sel (plus ou moins selon votre goût) et portez lentement à ébullition. Les pommes de terre farineuses doivent cuire à feu très doux pour que l'extérieur ne soit pas cuit avant l'intérieur et qu'elles ne se défassent pas dans la casserole. Pour ne pas perdre trop de vitamine C, les pommes de terre nouvelles seront plongées dans l'eau bouillante, cuites 15 min environ et retirées aussitôt. Les pommes de terre très fermes, à salade, seront mises dans l'eau bouillante et cuites 5 à 10 min à feu doux puis resteront 10 min dans l'eau bouillante, feu éteint.

1 Mettez les pommes de terre dans une grande casserole et recouvrez à peine d'eau salée. Posez un couvercle fermant bien. Portez à ébullition et laissez frémir 15 à 20 min, selon la taille et la variété des pommes de terre. Si vous laissez bouillir à gros bouillons, l'extérieur va cuire en premier et se défaire avant que l'intérieur ne soit cuit.

2 Quand les pommes de terre sont cuites, égouttez-les dans une passoire, puis remettez-les dans la casserole pour les sécher, les pommes de terre mouillées et spongieuses n'étant guère appétissantes.

3 Pour bien sécher des pommes de terre pelées (pour la purée par exemple), laissez-les à feu doux quelques minutes. Dans le nord de l'Angleterre, les pommes de terre sont saupoudrées de sel et secouées plusieurs fois jusqu'à ce qu'elles attachent au fond de la casserole.

4 En Irlande, les pommes de terre sont enveloppées dans un torchon jusqu'au moment de servir.

CUIRE À LA VAPEUR

La cuisson à la vapeur convient à toutes les pommes de terre, surtout aux variétés très farineuses qui se défont facilement. Les petites pommes de terre nouvelles, cuites à la vapeur avec leur peau, sont délicieuses. Les grosses pommes de terre seront coupées en petits morceaux réguliers ou en tranches épaisses. Les pommes de terre cuites se gardent au chaud plusieurs minutes dans un panier posé sur une casserole d'eau bouillante.

1 Mettez les pommes de terre dans une passoire ou dans le panier du cuit-vapeur, sur une casserole d'eau bouillante salée. Couvrez le plus hermétiquement possible et faites cuire à la vapeur 5 à 7 min pour des tranches ou des petits morceaux, et jusqu'à 20 min pour de gros tubercules.

2 Vers la fin du temps de cuisson, piquez quelques pommes de terre avec un couteau pointu et si elles sont cuites, retirez-les du feu et laissez-les dans la casserole jusqu'au moment de servir.

3 Vous pouvez aussi mettre avant cuisson, dans le fond du cuit-vapeur, une poignée de feuilles de menthe qui communiqueront leur parfum aux pommes de terre.

FAIRE FRIRE

Le choix de la matière grasse est la clé d'une friture réussie. Le mélange beurre/huile parfume les pommes de terre et permet des températures plus élevées que le beurre seul.

Rissolage à la poêle

Prenez une poêle à fond épais distribuant uniformément la chaleur, et assez grande pour que les aliments y soient à l'aise.

1 Chauffez environ 25 grammes de beurre et 2 cuillerées à soupe d'huile. Quand la graisse bouillonne, ajoutez une couche uniforme de pommes de terre cuites ou partiellement cuites. Laissez rissoler 4 à 5 min.

2 Retournez délicatement les pommes de terre une à deux fois avec une spatule jusqu'à ce qu'elles soient bien dorées.

Friture

L'huile ou la graisse de friture doivent être fraîches et propres et les frites bien sèches, l'eau faisant dangereusement mousser la graisse. Ne faites frire que des petites quantités à la fois, pour éviter que la température ne baisse trop quand vous ajoutez les aliments, et pour qu'ils puissent cuire et dorer uniformément. Retirez les particules brûlées après chaque « tournée » pour que l'huile reste propre.

Pour faire frire des frites, emplissez à demi d'huile ou de margarine une bassine à friture ou une friteuse électrique. Chauffez à la température adéquate en réglant le thermostat, ou plongez un petit morceau de pain dans l'huile pour vérifier si elle est assez chaude : il doit dorer en 1 min.

Il vaut mieux d'abord « saisir » les frites dans la friture très chaude, mais sans les dorer. Vous pouvez ensuite les retirer, les égoutter et, si besoin, les congeler après refroidissement. Sinon, plongez-les à nouveau dans la friture bouillante juste avant de servir, pour les dorer et les rendre croustillantes.

1 Avant de les plonger dans la friture, séchez les frites dans un torchon ou avec du papier absorbant, pour éviter les projections d'huile.

2 Chauffez le panier vide dans l'huile, puis ajoutez les frites (sans trop le remplir pour que la cuisson soit uniforme) et plongez le tout lentement dans la friture. Si l'huile mousse trop, retirez le panier et laissez-la refroidir légèrement.

3 Secouez le panier de frites de temps en temps pour obtenir une cuisson uniforme et laissez cuire les frites jusqu'à ce qu'elles soient dorées et croustillantes. Retirez le panier de l'huile et égouttez-le d'abord au-dessus du bain de friture.

4 Versez les frites sur du papier absorbant pour éponger l'excès de graisse. Saupoudrez de sel et servez.

Températures du bain de friture

- Pour saisir les frites, 160 °C
- Pour frire rapidement des pommes pailles et des chips et pour la seconde cuisson des frites, 190 °C

Paniers de pommes de terre

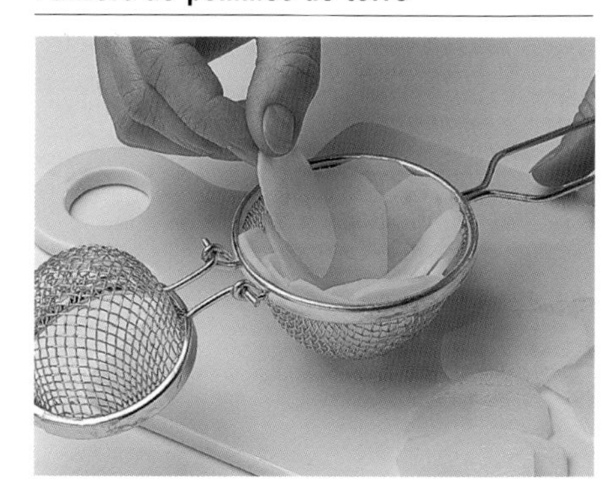

1 Coupez les pommes de terre en tranches minces et régulières, séchez-les sur du papier absorbant sans les rincer au préalable. Il vous faut 2 « paniers à nid » en toile métallique. Tapissez le plus grand panier avec des tranches se superposant puis fixez le plus petit à l'intérieur.

2 Plongez l'ensemble lentement dans le bain de friture bouillant ; laissez 3 à 4 min, jusqu'à ce que les pommes de terre soient dorées.

3 Retirez de la friture, séparez les paniers et démoulez le panier de pommes de terre. Remettez-le 1 à 2 min dans la friture.

4 Servez rempli de légumes, de viande poêlée ou de crevettes à l'aigre-douce.

Friture sans risques

- Ne remplissez pas trop la bassine à friture (huile ou aliments).
- Le couvercle doit fermer hermétiquement.
- Gardez sous la main un grand torchon très épais pour le jeter sur la bassine si elle prend feu.
- Ne jetez jamais d'eau sur une bassine d'huile fumante ou qui brûle, elle exploserait.

CUIRE AU FOUR

Rien n'est plus réconfortant et plus économique qu'une simple pomme de terre cuite au four, en robe des champs incrustée de sel, et dont la chair moelleuse est dorée de beurre et de fromage fondus.

Ce mode de cuisson convient également aux patates douces, saupoudrées d'un peu de sucre roux et couronnées de lard croustillant et de crème citronnée.

Comptez 1 pomme de terre de 300 à 350 grammes par personne et choisissez les variétés recommandées pour la cuisson au four, telles que roseval, belle de Fontenay, cara ou pompadour. Faites cuire 1 h à 1 h 30 au milieu du four préchauffé à 220 °C (th. 8) pour les très grosses pommes de terre, et 40 à 60 min pour les pommes de terre moyennes. Vérifiez la cuisson en pinçant le bord de la pomme de terre.

1 Lavez et séchez des pommes de terre à chair ferme puis enduisez-les d'huile et salez généreusement. Faites cuire sur une plaque, comme indiqué ci-dessus.

2 Pour accélérer la cuisson et la rendre plus uniforme, enfilez une brochette dans les pommes de terre ou piquez-les sur une pique spéciale.

3 Quand elles sont bien cuites, faites une incision en croix sur le dessus et laissez un peu refroidir.

4 Prenez la pomme de terre chaude avec un torchon propre et appuyez doucement sur la base pour l'ouvrir.

5 Dressez les pommes de terre ouvertes sur les assiettes de service et posez une lamelle de beurre sur chacune d'elles.

6 Vous pouvez ajouter un peu de comté râpé ou autre fromage à pâte dure, ou bien 1 cuillerée de crème acidulée avec un jus de citron et quelques fines herbes fraîches hachées, telles que ciboulette, persil ou coriandre. Poudrez généreusement de sel et de poivre noir du moulin.

Peaux de pommes de terre cuites au four

Faites cuire les pommes de terre au four à 220 °C (th. 8), les grosses 1 h à 1 h 30, les moyennes 40 à 60 min. Coupez en deux et retirez la chair (écrasez-la pour la servir avec du beurre).

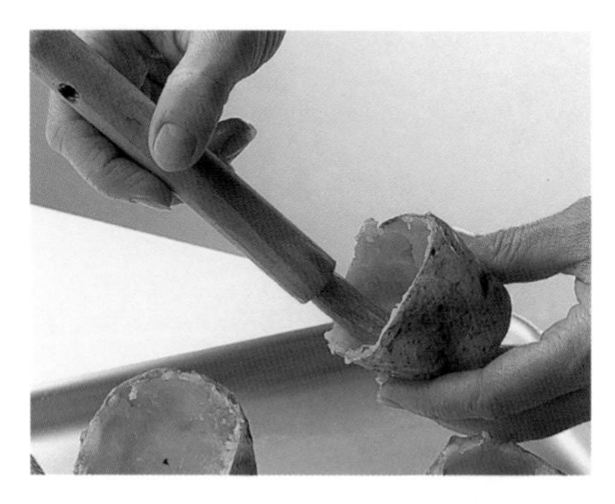

Passez du beurre fondu au pinceau sur les peaux (ou de la margarine, ou un mélange de beurre et d'huile) et remettez-les 20 min dans le haut du four, à la même température, jusqu'à ce qu'elles soient croustillantes.

Papillotes de pommes de terre

Les pommes de terre cuites au four dans une papillote d'aluminium ou de papier cuisson sont savoureuses. Si vous laissez la peau, vous pouvez les préparer à l'avance et programmer la cuisson pour qu'elles soient prêtes quand vous arrivez chez vous.

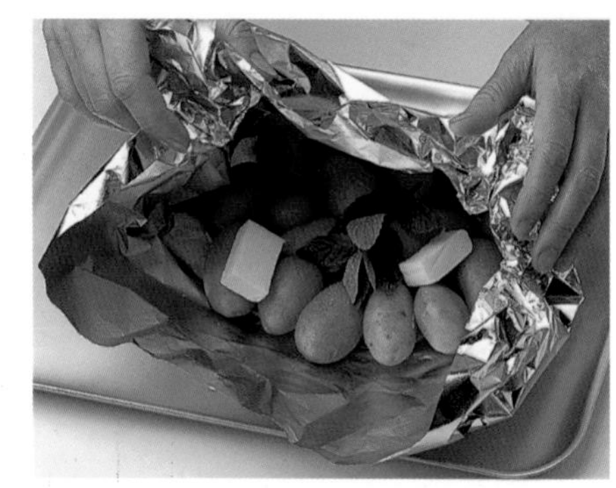

Lavez ou frottez et séchez des petites pommes de terre, puis enveloppez-les dans une papillote avec plusieurs morceaux de beurre, sel et poivre et 1 brin de menthe, d'estragon ou de ciboulette. Faites cuire au four à 190 °C (th. 6), 40 à 50 min par 500 grammes.

CUIRE DANS UN « DIABLE »

La cuisson au diable ressemble à la cuisson sous la cendre, la pomme de terre prenant la même saveur délicieuse mais sans le goût de fumée et de brûlé habituel. Le diable en terre cuite contient environ 500 grammes de tubercules. Comme pour tous les ustensiles en terre cuite, vous devez le faire tremper dans l'eau 10 à 20 min avant de l'utiliser. Prenez des petites pommes de terre régulières, de préférence avec la peau. Mettez toujours le diable à four froid et laissez la température s'élever peu à peu jusqu'à 200 °C (th. 7). Laissez cuire 40 à 50 min et vérifiez la cuisson avec un couteau pointu.

1 Mettez les pommes de terre préparées dans le diable et ajoutez 3 cuillerées à soupe d'huile d'olive vierge extra ou de beurre fondu, ainsi que vos aromates préférés, 1 grosse gousse d'ail non pelée, 1 morceau de lard fumé ou des fines herbes, par exemple. Salez avec du gros sel et donnez un tour de moulin à poivre.

2 Mettez le diable couvert dans le four froid, et faites chauffer à 200 °C (th. 7). Après 40 à 50 min, vérifiez la cuisson avec un couteau. Servez dans le diable.

CUIRE AU FOUR À MICRO-ONDES

Le four à micro-ondes fait gagner du temps, mais la peau des pommes de terre ne sera pas croustillante. Les pommes de terre nouvelles entières ou en morceaux cuisent facilement et rapidement. Dans les deux cas, commencez par piquer la peau des pommes de terre, pour les empêcher d'éclater. Comptez 4 à 6 min à puissance maximale pour une pomme de terre, et ajoutez 2 à 4 min par pomme de terre supplémentaire. À titre indicatif, comptez 10 à 12 min à puissance maximale pour 500 grammes de pommes de terre coupées (suivez les instructions du fabricant).

Mettez les grosses pommes de terre en cercle sur du papier absorbant sur le plateau tournant. Incisez la peau au milieu pour qu'elles n'éclatent pas et retournez-les une fois pendant la cuisson.

Mettez les petites pommes de terre dans une jatte spéciale avec 2 à 3 cuillerées à soupe d'eau bouillante. Couvrez avec un film plastique et percez en deux ou trois endroits pour laisser échapper la vapeur. Faites cuire 3 à 5 min, égouttez et ajoutez 1 à 2 noix de beurre, sel et poivre, et 1 brin de menthe.

Vous pouvez aussi couvrir les pommes de terre avec un couvercle spécial micro-ondes et les faire cuire de la même façon que précédemment.

Temps de repos

Pour que les pommes de terre soient cuites de façon uniforme, laissez-les reposer quelques minutes. Les grosses pommes de terre au four doivent reposer 10 min, enveloppées dans un torchon propre qui les maintiendra au chaud.

CUIRE EN COCOTTE-MINUTE

Si vous voulez cuire rapidement de grosses pommes de terre en robe des champs ou préparer une purée, la Cocotte-minute est parfaite, à condition de surveiller la cuisson afin que les pommes de terre ne soient pas trop cuites, ce qui les rendrait sèches et farineuses.

Suivez les instructions du manuel et comptez 12 min de cuisson pour les grosses pommes de terre entières, moins pour les petites. Vous pouvez les faire cuire avec la peau, pour accélérer encore la cuisson.

Lorsque les pommes de terre sont prêtes, évacuez la vapeur avec précaution pour arrêter la cuisson.

FAIRE RÔTIR

Quand elles sont bien réussies, les pommes de terre rôties fondantes et rissolées sont délicieuses. Elles accompagnent parfaitement le rôti de bœuf ou le poulet dominical.

Pour qu'elles soient moelleuses, prenez de grosses pommes de terre à chair ferme : désirée, stella, BF 15, viola donnent d'excellents résultats. Épluchez-les (vous pouvez laisser la peau mais elles seront moins croustillantes) et coupez-les en morceaux de grosseur égale. Blanchissez-les 5 min à l'eau bouillante puis laissez encore 5 min dans l'eau, feu éteint, pour que la cuisson soit uniforme. Égouttez bien et remettez dans la casserole pour les sécher complètement et obtenir ainsi des pommes de terre croustillantes.

La réussite de ce plat dépend aussi de la matière grasse utilisée et de la température du four. La graisse de rôti de bœuf leur donne beaucoup de saveur, de même que la graisse d'oie (si vous avez la chance d'en trouver), qui donne des pommes de terre très légères et croquantes. Quant aux graisses végétales, vous pouvez employer de la margarine ou de l'huile d'olive, ou encore un mélange d'huiles d'olive et de tournesol.

La graisse qui se trouve dans le plat doit être très chaude, pour saisir aussitôt la surface des pommes de terre. Prenez un grand plat à rôtir pour que les pommes de terre soient sur une seule couche. Ne les laissez pas baigner dans la graisse une fois qu'elles sont cuites, pour ne pas les ramollir. Servez-les aussitôt pendant qu'elles sont croustillantes.

1 Blanchissez les pommes de terre pelées et coupées en morceaux et grattez-les à la fourchette pour les rendre irrégulières.

2 Mettez la graisse de votre choix dans un plat à rôtir épais que vous placerez dans le four préchauffé à 220 °C (th. 8). Ajoutez les pommes de terre sèches et grattées à la fourchette et tournez-les aussitôt dans l'huile chaude. Remettez le plat à l'étage supérieur du four et faites rôtir 1 h.

3 Une à deux fois au cours de la cuisson, retirez le plat du four et retournez les pommes de terre avec une spatule, pour les enrober de graisse. Retirez ensuite la graisse en excès pour qu'elles puissent mieux rissoler.

Tranches de pommes de terre rissolées

Pour changer des frites, vous pouvez faire rôtir « à sec » des tranches de pommes de terre, saupoudrées de divers aromates. Faites cuire au four, à 190 °C (th. 6), en les retournant souvent.

1 Coupez des pommes de terre fermes en tranches fines. Tournez-les dans très peu d'huile brûlante, dans un plat à rôtir.

2 Assaisonnez, tournez plusieurs fois et faites cuire au four 30 à 40 min, en les retournant et en vérifiant la cuisson une à deux fois.

Aromates

Vous pouvez essayer :

- Curry en poudre
- Noisettes en poudre ou autres fruits secs
- Assaisonnement à l'ail en poudre
- Graines de sésame
- Chapelure à l'ail et aux herbes
- Parmesan râpé

PRÉPARER UNE PURÉE

La purée de pommes de terre est toujours populaire, purée nature conviviale ou agrémentée d'huile d'olive ou de parmesan. Tout chef, tout restaurant à la mode se doit aujourd'hui d'avoir sa propre recette de purée, dont les variantes sont infinies. L'essentiel est avant tout la qualité de la pomme de terre écrasée. Si les pommes de terre farineuses donnent une purée légère et mousseuse, les pommes de terre fermes forment un magma dense et plutôt gluant difficile à améliorer. Faites bouillir les tubercules jusqu'à ce qu'ils soient bien cuits mais sans se défaire, puis séchez-les, les pommes de terre pleines d'eau donnant un mélange lourd et spongieux. Les pommes de terre froides s'écrasent mieux. Les patates douces s'écrasent bien également, et peuvent accompagner un plat salé ou sucré.

Plusieurs ustensiles permettent d'écraser les pommes de terre : presse-purée manuel qui donne une purée très lisse, presse-purée à levier, passoire ou moulin à légumes pour une purée légère et mousseuse, fourchette pour une purée plus grossière, ou pilon et mortier. Vous pouvez également vous servir d'un batteur électrique, mais évitez le mixer qui a tendance à donner comme résultat un mélange compact et gluant plus adapté à la soupe.

Purée simple

Il existe plusieurs types de presse-purée manuels, les meilleurs comportant une grille solide à trous espacés. Il suffit d'écraser les pommes de terre cuites avec l'ustensile, sur toute la surface de la casserole, pour obtenir une purée lisse mais texturée.

Le presse-purée à levier, genre presse-ail, vous donnera une purée légère et aérée que vous pourrez servir telle quelle, dans sa version peu calorique.

Vous pouvez aussi ajouter du beurre, du lait et assaisonner, puis continuer à écraser les pommes de terre, pour obtenir un mélange crémeux et mousseux.

Fantaisies de présentation

Vous pouvez rendre les pommes de terre écrasées plus appétissantes en les présentant de différentes façons, en particulier pour les enfants.

« Sculptez » à la fourchette la purée posée sur un hachis Parmentier.

Donnez du relief à la surface en créant des « vallées » et des « collines » à l'aide d'une cuillère.

Au lieu d'étaler uniformément la purée, vous pouvez la mouler entre 2 cuillères pour déposer des boules ou des « quenelles » soigneusement rangées.

Vous pouvez aussi créer un motif dans la purée avec les dents d'une fourchette. Passez ensuite du jaune d'œuf au pinceau sur la surface, puis faites dorer sous le gril du four préchauffé.

Purée posée à la poche à douille

Si la purée est lisse et crémeuse, il est facile de la mouler à la poche à douille et il ne vous faudra qu'un peu de pratique pour obtenir un résultat professionnel. La purée ne doit comporter aucun grumeau qui viendrait boucher la douille. Équipez la poche d'une large douille en étoile et remplissez-la aux 2/3 avec de la purée. Tenez la poche dans le haut avec la main gauche et poussez la purée avec la main droite. Entraînez-vous sur une planche à découper, lentement pour commencer.

Pommes de terre duchesse et rosettes

Ce sont les présentations habituelles que l'on trouve dans les restaurants. Les rosettes sont posées à la poche à douille sur la plaque à pâtisserie, badigeonnées d'œuf battu et dorées au four, puis servies en garniture du plat principal. Elles sont très faciles à réaliser et vous permettront d'impressionner vos invités.

La purée doit être suffisamment ferme. Pour cela il suffit d'ajouter des jaunes d'œufs aux pommes de terre écrasées, à la place du lait, en mélangeant bien. Badigeonnez ensuite à l'œuf (1 petit œuf battu avec 1 à 2 cuillerées à soupe d'eau). Mettez au four préchauffé à 190 °C. (th. 6) jusqu'à ce qu'elles soient bien dorées.

1 Posez une grande poche à douille équipée d'une douille en étoile dans une carafe, pour la stabiliser. Remplissez aux 2/3 de purée épaisse.

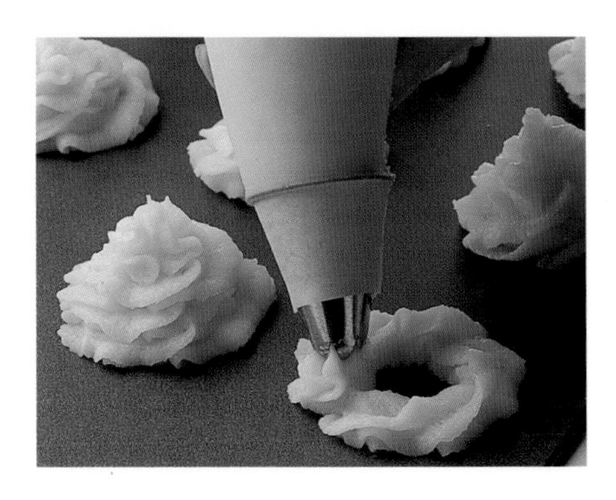

2 Pressez la purée en formant un petit cercle, toujours dans le même sens.

3 Continuez à presser jusqu'à remplir le centre, puis soulevez la poche pour former un cône.

Gratin fantaisie

1 Vous réaliserez de la même façon des gratins à l'aspect professionnel, avec une douille plus petite.

2 Faites gratiner 10 à 15 min au four préchauffé à 190 °C (th. 6), ou mettez 5 min sous le gril.

Nids de pommes de terre

Les enfants les adorent et ils forment un joli plat pour un dîner. Garnissez-les de pointes d'asperges, petits pois frais, maïs, flageolets, fromage blanc, poulet, poisson ou champignons nappés d'une sauce crémeuse, et réchauffez le tout.

1 Avec la même douille que pour les pommes de terre duchesse, posez un large cercle ou un ovale sur la plaque ou sur du papier cuisson.

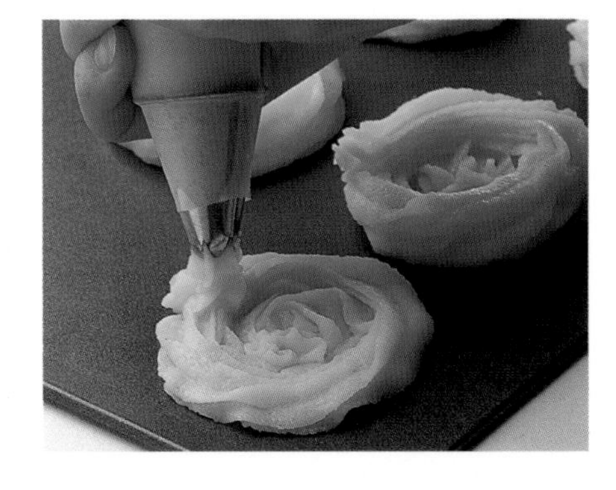

2 Remplissez la base puis posez à nouveau un cercle pour former le nid. Dorez à l'œuf et faites cuire au four comme pour les pommes de terre duchesse.

Bords décorés à la poche à douille

Le procédé convient pour de nombreux plats. Le plus connu est la coquille Saint-Jacques, où la guirlande de purée enferme la sauce crémeuse dans la coquille.

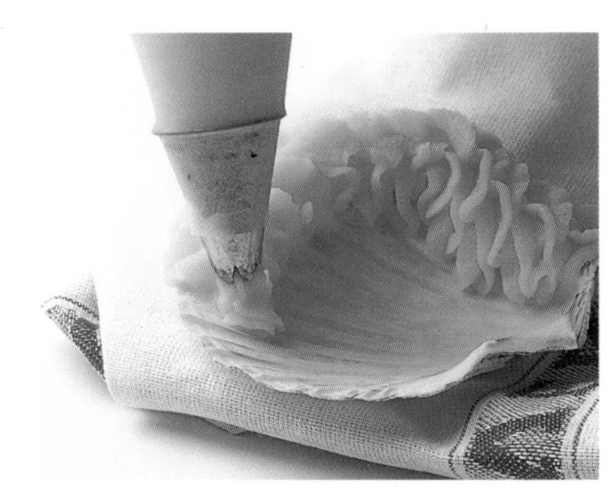

Posez un cercle de purée sur le bord d'une coquille Saint-Jacques naturelle ou en porcelaine. Dorez à l'œuf, remplissez avec le mélange de poisson et faites gratiner sous le gril.

Assaisonnements divers

Pour une version méditerranéenne, ajoutez au fouet du sel, du poivre et de l'huile d'olive vierge extra, afin d'obtenir un mélange lisse et souple. Saupoudrez de parmesan finement râpé.

Pour une purée riche et généreuse, ajoutez de la crème épaisse et de la muscade râpée. Mélangez intimement et saupoudrez à nouveau de muscade râpée.

Pour un mélange crémeux, ajoutez au fouet de l'huile d'olive vierge extra et suffisamment de lait pour donner une purée lisse et épaisse. Assaisonnez à votre goût de sel et de poivre noir du moulin et ajoutez un peu de basilic ou de persil frais hachés.

Les ajouts de chou cuit haché, de ciboule ou de poireau sont des variantes régionales qui apportent beaucoup de goût à la purée familiale.

Parsemez une purée crémeuse d'un mélange de piments en poudre ou frais et de ciboulette très finement hachés.

Pour donner une texture croquante, faites griller quelques fines tranches de lard, hachez-les et éparpillez-les sur les pommes de terre.

Vous pouvez aussi ajouter des amandes émincées grillées ou des noix grossièrement hachées.

UTILISER DES RESTES DE POMMES DE TERRE CUITES

On peut utiliser les restes de pommes de terre de différentes façons, il est donc pratique d'en faire cuire un peu plus que nécessaire. Écrasez-les pour en faire des croquettes de poisson, pour épaissir les soupes ou les ragoûts, pour faire du pain ou une pâte à tarte très légère pour les quiches et tartes salées. Les pommes de terre cuites et râpées peuvent servir pour les röstis, hachis, omelettes, *tortillas* et même les salades.

Pâte à tarte aux pommes de terre

1 Incorporez du bout des doigts 100 grammes de margarine ou de beurre dans 450 grammes de farine, puis ajoutez 450 grammes de pommes de terre écrasées, 2 cuillerées à café de sel, 1 œuf battu et assez de lait pour donner une pâte lisse mais ferme. Mettez 10 min au réfrigérateur avant de l'utiliser.

2 Étalez la pâte au rouleau sur une surface farinée, et tapissez le moule à tarte avec la pâte. Placez le moule au réfrigérateur encore 1 h, piquez le fond avec une fourchette et ajoutez la garniture.

Croquettes de pommes de terre

1 Ajoutez des œufs à une purée ferme *(voir pommes de terre duchesse),* assaisonnez à votre goût, puis formez des petits cylindres en les roulant avec un peu de farine ou de Maïzena.

2 Passez légèrement à l'œuf, puis roulez dans votre mélange favori – amandes émincées ou fromage râpé mélangé avec de la chapelure, par exemple.

3 Faites poêler dans le beurre et l'huile, en les retournant de temps à autre, jusqu'à ce qu'elles soient bien dorées et très chaudes. Vous pouvez aussi les faire frire ou gratiner au four. Réalisez de délicieux hors-d'œuvre en les fourrant avec un dé de fromage.

Röstis

1 Râpez dans une jatte, sur la râpe à gros trous, des pommes de terre fermes, à demi cuites et froides. Salez et poivrez.

2 Chauffez un mélange de beurre et d'huile dans une poêle antiadhésive à fond épais et, quand il mousse, versez des cuillerées de pommes de terre râpées en les aplatissant. Faites cuire à feu modéré jusqu'à ce que le dessous soit doré et croustillant, ce qui prend 7 à 10 min.

3 Retournez les galettes avec une spatule, en prenant garde de ne pas les défaire, puis continuez la cuisson encore 5 min. Les röstis doivent être très croustillants.

4 Pour faire un seul grand rösti, versez les pommes de terre dans la graisse bouillante, aplatissez de façon régulière et laissez cuire environ 10 min à feu modéré, ou jusqu'à ce que le dessous soit bien doré. Pour retourner facilement le rösti, posez par-dessus une assiette à l'envers.

5 Retournez ensemble l'assiette et la poêle de façon que le rösti glisse sur l'assiette sans se casser.

6 Faites à nouveau glisser le rösti dans la poêle, en ajoutant un peu de beurre si nécessaire. Faites cuire encore 10 min, afin que le dessous soit doré. Servez-le coupé en tranches.

ACHAT ET CONSERVATION

Il existe toutes sortes de variétés de pommes de terre sur le marché et votre choix doit se faire en fonction de l'usage auquel vous les destinez. Si vous vous laissez tenter par de jolies petites pommes de terre rosa ou des rattes bien fermes alors que vous avez l'intention de faire une épaisse soupe veloutée ou un hachis Parmentier, il est probable que le résultat ne sera pas celui que vous attendiez. Vérifiez leurs qualités grâce à la liste des variétés donnée plus loin, pour apprendre à choisir les pommes de terre appropriées au plat que vous voulez préparer. Si vous aimez manger la peau mais que vous craignez les pesticides, achetez des pommes de terre biologiques, ou cultivez-les dans votre jardin, ce qui n'a rien de compliqué si vous avez assez de place.

Vérifiez la « jeunesse » et la fraîcheur des pommes de terre nouvelles en grattant la peau qui doit « peler » facilement. Elles sont riches en vitamine C et il faut les consommer rapidement.

Les pommes de terre de conservation doivent être fermes. Évitez les tubercules mous, moisis ou qui germent.

Des parties vertes indiquent que les pommes de terre ont été conservées à la lumière. Le reste de la chair est consommable, mais vous devez retirer ces parties toxiques.

CONSERVER

Les pommes de terre, qui vivent sous terre, aiment l'obscurité et elles réclament certaines conditions pour bien se conserver. Elles risquent de germer dans la chaleur de la cuisine et de moisir dans le réfrigérateur. La lumière les fait verdir et leur enlève aussi une partie de leur valeur nutritive.

Les pommes de terre nouvelles en particulier peuvent commencer à moisir si elles attendent plus de 2 ou 3 jours. Il vaut mieux les acheter par petites quantités, pas plus de quelques kilos à la fois, et les utiliser rapidement.

Si vous préférez acheter vos pommes de terre par grosses quantités, il faut alors les conserver dans un local sombre et sec, un cellier ou un garage par exemple, à l'abri du gel, mais la température doit être suffisamment basse pour les empêcher de germer.

Si vous conservez vos pommes de terre dans la maison, mettez-les dans un panier grillagé ou un récipient bien aéré, dans un endroit sec et sombre.

Si vous achetez des pommes de terre dans un emballage en plastique, sortez-les immédiatement du sac et rangez-les dans un endroit approprié.

Vérifiez les dates de conservation des pommes de terre préemballées dont on trouve de nombreuses variétés. Certaines sont prêtes à cuire et d'autres déjà épluchées ou nettoyées. Vous pouvez même acheter des pommes de terre assaisonnées et précuites, qu'il vaut mieux consommer aussitôt. Vérifiez les dates de péremption pour ne pas les dépasser.

PRÉPARER

Il est totalement déconseillé d'éplucher les pommes de terre à l'avance, même pour vous organiser. En laissant les tubercules pelés dans l'eau, vous perdrez toute trace de vitamine C. Et si vous les enveloppez pour les mettre au réfrigérateur, elles noirciront inexorablement.

Il vaut mieux les faire cuire dans leur peau, presque complètement, en les laissant encore très fermes. Vous pouvez alors les garder au réfrigérateur, couvertes, 2 à 3 jours. Pour les utiliser, épluchez-les et coupez-les en morceaux et réchauffez-les au four à micro-ondes, ou faites-les cuire encore 3 à 5 min avec de la menthe, ou selon la recette. Elles ont ainsi beaucoup plus de goût.

Vous pouvez garder de la purée, sous un film plastique, pour faire des croquettes ou un hachis Parmentier.

CONGELER

Les pommes de terre crues supportent mal la congélation ou plutôt la décongélation, contrairement aux pommes de terre cuites, bien que ces dernières aient tendance à devenir aqueuses.

Congelez des pommes de terre duchesse sur une plaque, puis mettez-les en sac. Faites cuire à la sortie du congélateur.

Les croquettes et les röstis seront enveloppés individuellement dans du papier sulfurisé, puis rangés par quatre ou huit. Décongelez partiellement s'ils contiennent du poisson ou de la viande et faites-les cuire comme indiqué dans la recette.

Faites cuire les frites sans les dorer. Congelez-les sur un plateau puis mettez-les dans des sacs. Décongelez-les partiellement sur du papier absorbant pour éliminer les petits cristaux de glace, avant de les faire frire par petites quantités, à l'huile très chaude.

UTILISER DES PRODUITS INDUSTRIELS

De nombreux produits à base de pommes de terre sont proposés aujourd'hui dans les magasins. La purée instantanée en poudre ou en flocons est facile à utiliser et existe en versions aromatisées ; la fécule de pomme de terre peut remplacer la farine et les pommes de terre nouvelles en conserve permettent de faire une salade instantanée. Vous trouverez des pommes de terre prêtes à être poêlées qui se gardent longtemps et toutes sortes de garnitures pour les pommes de terre au four.

MATÉRIEL ÉLECTRIQUE

Mixer S'il vous arrive souvent d'émincer, de râper ou de transformer des pommes de terre en frites, le mixer vous fera gagner beaucoup de temps. Il existe de nombreux modèles avec différents accessoires. La plupart possèdent un disque à émincer et un disque râpe, certains avec plusieurs grosseurs et un accessoire à frites.

Épluche-pommes de terre Il épluche les tubercules en quelques minutes. La surface des pommes de terre reste irrégulière, ce qui convient pour les rôtir. Ne mettez pas une trop grande quantité de tubercules à la fois dans l'appareil.

CI-DESSUS *Mixer.*

BASSINES À FRITES ET FRITEUSES

La confection des frites donne trop souvent lieu à des incendies domestiques et si vous êtes « accro » aux pommes de terre frites, il est plus prudent d'acheter une friteuse de bonne qualité (électrique ou non). Vérifiez bien sa taille avant de l'acheter, certaines étant relativement petites. Les frites sont meilleures si vous les faites cuire par petites quantités ; de plus, si vous en mettez trop dans la bassine, l'huile risque de déborder. N'achetez pas de friteuse bon marché, ce serait une fausse économie. La friteuse doit être toujours propre, changez-en l'huile fréquemment, de préférence après chaque usage.

Une bonne bassine à frites doit être lourde, avec deux poignées solides, et comporter un panier et un couvercle bien adaptés.

Friteuses électriques Le bain de friture étant contrôlé par thermostat, la friture se fait toujours à la bonne température en donnant des frites croustillantes. La cuisson est souvent entièrement automatisée, selon les aliments à frire. L'huile et les frites sont enfermées dans un récipient hermétique qui évite les odeurs et les projections de graisse. L'ensemble est facilement démontable pour faciliter le nettoyage et certaines friteuses sont dotées d'un couvercle transparent qui permet de contrôler la cuisson.

CI-DESSUS *Bassine à frites.*

PIQUE-POMMES DE TERRE POUR CUISSON AU FOUR

Pour accélérer la cuisson au four, vous pouvez piquer les pommes de terre sur des brochettes ou sur ces piques spéciales, pour gagner jusqu'à 1/3 du temps de cuisson.

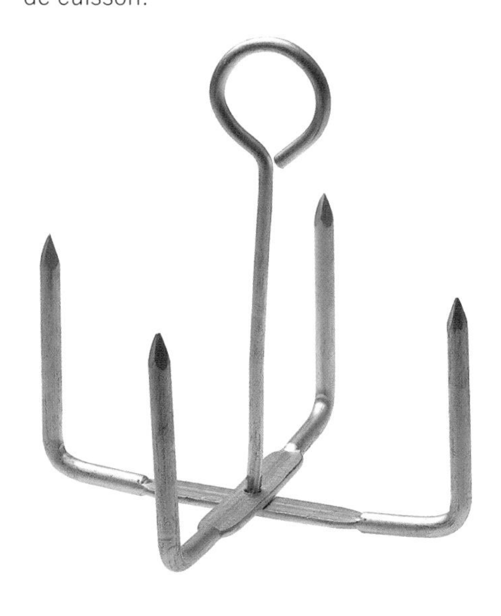

CI-DESSUS *Pique-pommes de terre.*

COUPE-FRITES

Les coupe-frites manuels permettent d'obtenir rapidement des frites, mais il faut généralement couper d'abord la pomme de terre à la taille du récipient.

Si possible, essayez l'appareil avant de l'acheter, car certains modèles nécessitent beaucoup de force pour faire passer la pomme de terre à travers la grille. Les couteaux doivent être amovibles pour le nettoyage.

Coupe-frites horizontal Frites petites et régulières mais travail ardu.

Coupe-frites vertical Il est un peu plus facile à manier et offre deux tailles de couteaux mais n'accepte que des petites pommes de terre.

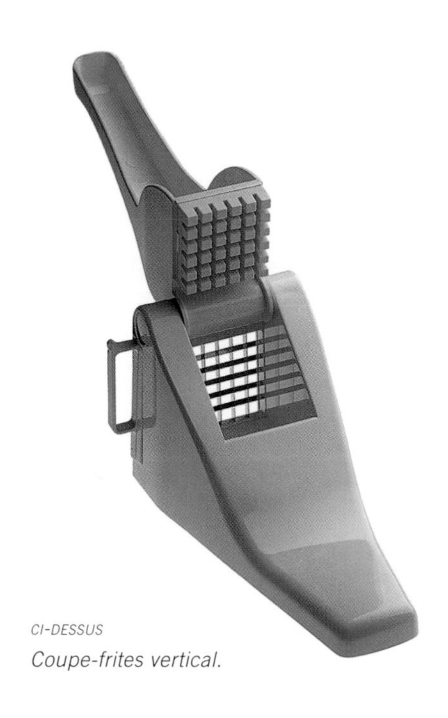

CI-DESSUS
Coupe-frites vertical.

BROSSES À NETTOYER

Une petite brosse est pratique pour nettoyer les pommes de terre terreuses. Ses poils doivent être suffisamment durs, sans cependant entamer la peau du tubercule.

CI-DESSUS *Brosses à légumes.*

MARMITES EN TERRE CUITE

Les deux « diables » en terre cuite ci-dessous sont conçus spécialement pour la cuisson des pommes de terre et ils leur donnent une saveur bien particulière. N'oubliez pas de les faire tremper dans l'eau avant usage, l'humidité apportée par la terre cuite étant indispensable à la cuisson.

CUILLÈRE PARISIENNE

Elle vous permet de détailler des boules dans la pomme de terre crue, pour donner des garnitures fantaisie.

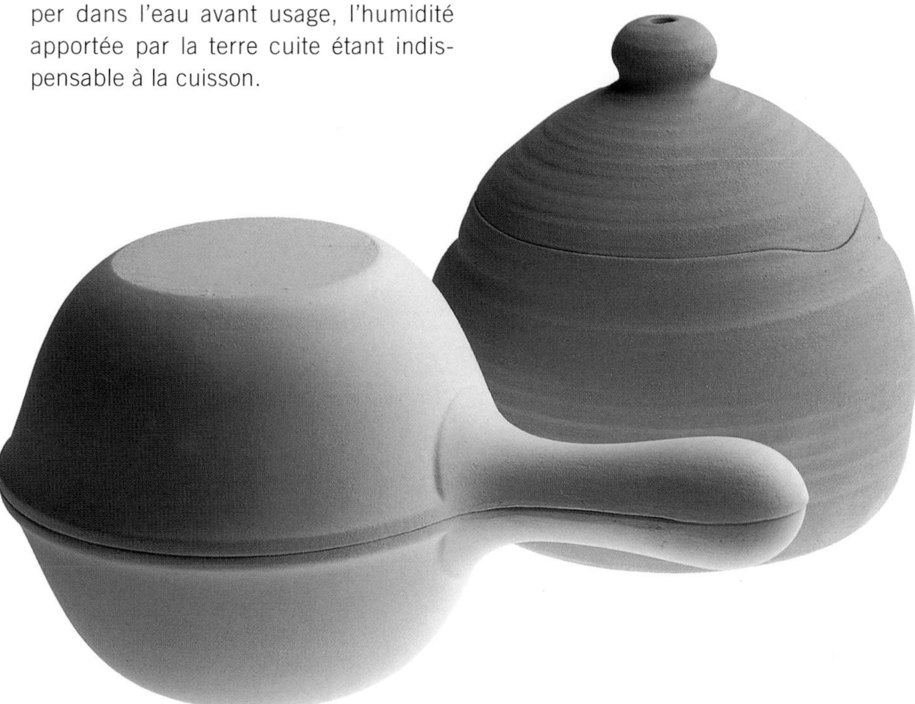

À DROITE *« Diables » en terre cuite.*

LIMITED

Pommes de terre du monde

Avec le renouveau des anciennes variétés de pommes de terre et la création de nombreuses variétés originales, ces légumes retrouvent une vogue bien méritée. Nous avons le choix entre les petites pommes de terre nouvelles au délicieux goût de noisette, les tubercules de conservation traditionnels, à chair farineuse et légère ou à chair jaune, ferme et fine, les petites pommes de terre irrégulières genre ratte qui donnent un croquant délicieux aux salades, plus toute une collection de pommes de terre rouges ou roses, violettes et bleues, assez raffinées pour ne pas déparer les menus des restaurants chics de Paris, Londres ou New York.

Ce chapitre comprend une description de chaque variété et des informations sur son origine, ses lieux de culture et ses utilisations culinaires. Les pommes de terre sont classées sous leur nom courant, par ordre alphabétique. Leur époque de maturité est indiquée comme suit : très précoce, précoce, conservation (précoce et tardive). Partout dans le monde, les très précoces sont les premières pommes de terre nouvelles sur le marché, à consommer aussitôt ; les précoces sont encore théoriquement des pommes de terre nouvelles mais non « peleuses » (qui ne peuvent plus être grattées) ; les pommes de terre de conservation, qui se trouvent sur le marché la plus grande partie de l'année, sont celles qui se récoltent et se conservent pendant plusieurs mois.

Le consommateur doit cependant savoir qu'il existe aujourd'hui certaines variétés qui sont à la fois très précoces et de conservation, et d'autres, qui viennent de partout dans le monde, étiquetées « nouvelles » à l'époque de la saison des pommes de terre de conservation. La liste qui suit sera votre meilleur guide.

Arran banner
Conservation (précoce)
Origine : Écosse, 1927
Lieux de culture : Chypre, Grande-Bretagne, Nouvelle-Zélande, Portugal
Usages culinaires : à l'eau
Description : pomme de terre ronde, yeux enfoncés et peau blanche, chair ferme, fine

Arran comet
Très précoce
Origine : Écosse, 1957
Lieu de culture : Grande-Bretagne
Usages culinaires : à l'eau, frites
Description : ronde ou ovale, peau blanche, chair fine. Excellente pomme de terre primeur, difficile à trouver.

Arran consul
Conservation (précoce)
Origine : Écosse, 1925
Lieu de culture : Grande-Bretagne
Usages culinaires : à l'eau, au four, purée, rôties. Bonne variété pour tous usages.
Description : ronde, peau blanche et chair fine. Réputée être « la pomme de terre qui aida à gagner la guerre », grâce à son bon apport alimentaire à moindre coût.

Arran victory irish blues
Conservation (tardive)
Origine : Écosse, 1918
Lieu de culture : Grande-Bretagne (rare en Angleterre, plutôt limitée à l'Écosse et à l'Irlande du Nord)
Usages culinaires : au four, à l'eau, rôties et autres méthodes
Description : ovale, peau violet foncé et chair très blanche. C'est la plus ancienne variété arran encore existante, pomme de terre très goûteuse, à texture farineuse. Difficile à trouver.
Culture chez soi possible

CI-DESSUS *Arran victory*
CI-DESSOUS *De gauche à droite : arran banner, arran comet, arran consul (en haut, à droite)*

Atlantic
Conservation (précoce/mi-saison)
Origine : États-Unis, 1978
Lieux de culture : Australie, Canada, États-Unis (Caroline du Nord), Nouvelle-Zélande
Usages culinaires : au four, à l'eau, frites, purée, rôties ; produits industriels
Description : ovale ou ronde, peau mince, couleur fauve, chair blanche. Très utilisée pour les frites et les chips.
Culture chez soi possible

Atlantic

Ausonia
Précoce
Origine : Pays-Bas, 1981
Lieux de culture : Grande-Bretagne, Grèce, Pays-Bas
Usages culinaires : au four, à l'eau et la plupart des autres méthodes
Description : ovale, peau blanche et chair farineuse jaune pâle. Peut noircir après cuisson. Surtout vendue préemballée, sous diverses formes.
Culture chez soi possible

Avalanche
Conservation (précoce)
Origine : Irlande du Nord, 1989
Lieu de culture : Grande-Bretagne (encore rare)
Usages culinaires : à l'eau, purée
Description : ronde ou ovale, grosseur moyenne, peau blanche, chair fine, ferme et savoureuse, légèrement sucrée
Culture chez soi possible

Avondale
Conservation
Origine : Irlande, 1982
Lieux de culture : Égypte, Espagne, Grande-Bretagne, Hongrie, îles Canaries, Israël, Maroc, Pakistan, Portugal, Sri Lanka
Usages culinaires : bonne variété à tout faire
Description : ronde ou ovale, peau beige pâle et chair fine. Texture ferme mais moelleuse et saveur douce.

Barna
Conservation (tardive)
Origine : Irlande, 1993
Lieux de culture : Grande-Bretagne, Irlande
Usages culinaires : à l'eau, rôties
Description : uniforme, ovale, peau rouge avec une chair blanche assez ferme, goût de noisette
Culture chez soi possible

A GAUCHE *De haut en bas : avalanche, avondale, barna*

CI-DESSUS *Centennial russet*

Centennial russet
Conservation
Origine : États-Unis, 1977
Lieu de culture : États-Unis (Californie, Colorado, Idaho, Oregon, Texas, Washington)
Usages culinaires : au four, à l'eau, purée
Description : ovale avec une peau foncée, épaisse, des yeux peu enfoncés et une chair blanche et farineuse

Champion
Conservation (tardive)
Origine : Grande-Bretagne, 1876
Lieux de culture : n'est plus cultivée commercialement, se trouve seulement dans les collections
Usages culinaires : excellente variété à tout faire
Description : pomme de terre ronde à peau blanche et chair jaune. Très savoureuse. Très appréciée pendant de nombreuses années, jusqu'à ce que le mildiou l'ait presque fait disparaître, mais elle resta populaire en Irlande jusqu'aux années trente.

Charlotte Noirmoutier
Conservation
Origine : France, 1981
Lieux de culture : Allemagne, France, Grande-Bretagne, Italie, Suisse
Usages culinaires : au four, à l'eau, en salade
Description : ovale ou en forme de poire, chair jaune, texture ferme et fine, arrière-goût de châtaigne. Excellente à la vapeur et en salade. Très populaire en France.
Culture chez soi aisée

Catriona et blue catriona
Précoce
Origine : Écosse, 1920 ; blue catriona, Grande-Bretagne, 1979
Lieu de culture : Grande-Bretagne (surtout pour les jardiniers, dans peu de boutiques)
Usages culinaires : au four, à l'eau et toutes les autres méthodes
Description : grosse pomme de terre à peau lavée de pourpre autour des yeux, chair jaune pâle, très savoureuse
Culture chez soi possible

Catriona

Chieftain
Conservation
Origine : États-Unis, 1966
Lieux de culture : Canada, États-Unis
Usages culinaires : au four, à l'eau
Description : Oblongue à ronde, peau rouge vif assez lisse et chair blanche. Bonne pour la plupart des méthodes de cuisson, excepté les frites.

Chipeta
Conservation (tardive)
Origine : États-Unis, 1993
Lieux de culture : Canada, États-Unis (Colorado, Idaho)
Usages culinaires : au four, à l'eau, frites ; produits industriels
Description : ronde à peau blanche tachetée de roux, chair blanche ferme. Surtout cultivée pour les frites.

Claret
Conservation (précoce)
Origine : Écosse, 1996
Lieu de culture : Écosse
Usages culinaires : toutes cuissons
Description : peau rouge rosé lisse, forme ovale ou ronde et chair ferme, fine
Culture chez soi aisée

EN HAUT *Claret et chieftain*
CI-DESSUS *Cleopatra et colmo*

Cleopatra
Très précoce
Origine : Pays-Bas, 1980
Lieux de culture : Algérie, Hongrie
Usages culinaires : à l'eau
Description : ovale, peau rouge rosé irrégulière et chair dense jaune clair

Colmo
Très précoce
Origine : Pays-Bas, 1973
Lieux de culture : Grande-Bretagne, Pays-Bas
Usages culinaires : à l'eau et toutes les autres méthodes
Description : moyenne, ronde ou ovale, peau blanche et chair ferme jaune clair. Bonne pour la purée.

Congo
Conservation (tardive)
Origine : Congo
Lieux de culture : Australie, Grande-Bretagne (curiosité pour les jardiniers, ne se trouve pas dans les boutiques)
Usages culinaires : à l'eau, purée, en salade
Description : petite, mince et irrégulière, peau brillante violet-noir très foncé et chair violet foncé comme celle de la betterave. La saveur est curieusement neutre et la texture dense. Elle est sèche après cuisson, mais garde sa couleur, très originale dans les salades et en garniture. Épluchez-la après cuisson. Faites-la cuire rapidement à l'eau, à la vapeur ou au four à micro-ondes. Donne une bonne purée et d'excellents gnocchis.
Culture chez soi possible

CI-DESSUS *Désirée*

Delcora
Conservation (précoce)
Origine : Pays-Bas, 1988
Lieux de culture : Nouvelle-Zélande, Pays-Bas
Usages culinaires : à l'eau, frites, purée
Description : pomme de terre longue et ovale, à peau rouge rosé et chair jaune pâle savoureuse qui n'est pas farineuse

Congo

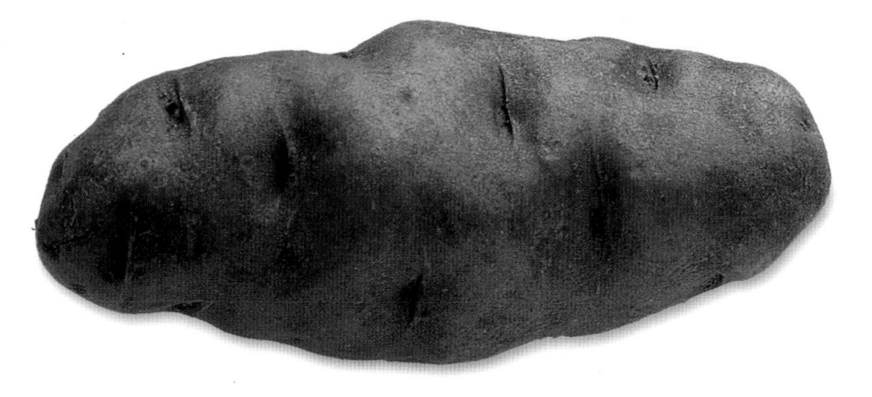

Désirée
Conservation
Origine : Pays-Bas, 1962
Lieux de culture : Algérie, Argentine, Australie, Cameroun, Chili, États-Unis, France, Grande-Bretagne, Iran, Irlande, Malawi, Maroc, Nouvelle-Zélande, Pakistan, Pays-Bas, Portugal, Sri Lanka, Tunisie, Turquie
Usages culinaires : au four, à l'eau, frites, purée, rôties, en salade et toutes autres méthodes
Description : ovale avec des yeux en surface, peau rouge lisse, chair jaune pâle, texture ferme, savoureuse. La plus populaire des pommes de terre à peau rouge. Elle est souvent vendue chez le producteur par 50 ou 100 kg mais aussi au détail ou préemballée. Bonne rôtie ou cuite en quartiers ou émincée, bonne tenue à la cuisson.
Culture chez soi aisée

Diamant
Conservation (précoce)
Origine : Pays-Bas, 1982
Lieux de culture : Cameroun, Canada, Égypte, Nouvelle-Zélande, Pakistan
Usages culinaires : au four, à l'eau
Description : longue, ovale, peau blanche, chair jaune pâle, ferme, fine et à goût de noisette. Populaire dans les années trente.

CI-DESSOUS *Duke of York*
EN BAS *De gauche à droite à partir du haut : diamant, ditta, dr McIntosh*

Ditta
Précoce
Origine : Autriche, 1950
Lieux de culture : Autriche, Grande-Bretagne, Pays-Bas
Usages culinaires : à l'eau, rôties
Description : pomme de terre longue, ovale, à la peau irrégulière, brunâtre, chair jaune pâle et texture ferme et fine. Très fondante après cuisson.

Dr McIntosh
Conservation (précoce)
Origine : Grande-Bretagne, 1944
Lieux de culture : Grande-Bretagne, Nouvelle-Zélande
Usages culinaires : au four, à l'eau, bonne pour toutes cuissons
Description : pomme de terre ovale allongée, peau blanche et chair jaune clair

Draga
Précoce
Origine : Pays-Bas, 1970
Lieux de culture : Iran, Nouvelle-Zélande
Usages culinaires : à l'eau, purée, en salade, bonne pour toutes cuissons
Description : ronde, peau blanc-jaune, chair blanc crème, très savoureuse, texture ferme et fine. Se conserve bien.

Duke of York eersteling
Très précoce
Origine : Écosse, 1891
Lieux de culture : France, Grande-Bretagne, Pays-Bas
Usages culinaires : à l'eau et la plupart des autres méthodes
Description : Longue, ovale, peau claire jaune blanchâtre, chair jaune pâle, texture ferme après cuisson, saveur riche et sucrée. Meilleure en très précoce.
Culture chez soi très répandue

CI-DESSUS *Duke of York red*

Duke of York red rode eersteling
Très précoce
Origine : Pays-Bas, 1842
Lieux de culture : Grande-Bretagne, Pays-Bas
Usages culinaires : à l'eau, en salade
Description : pomme de terre longue, ovale, très rouge, chair goûteuse jaune pâle. Perd sa couleur à la cuisson.
Culture chez soi possible

Dunbar standard
Conservation (tardive)
Origine : Écosse, 1936
Lieux de culture : Grande-Bretagne, Irlande
Usages culinaires : toutes cuissons
Description : pomme de terre longue, ovale, peau blanche et chair blanche. Ferme et savoureuse, la plupart des modes de cuisson lui conviennent.
Culture chez soi possible, Pousse bien en terre grasse.

Dundrod
Très précoce
Origine : Irlande du Nord, 1987
Lieux de culture : Canada, Grande-Bretagne, Irlande du Nord, Pays-Bas, Suède
Usages culinaires : à l'eau, frites, purée
Description : pomme de terre ovale ou ronde, peau jaune pâle et chair blanc crème. Modérément ferme mais bonne tenue à la cuisson. Très populaire pour les frites en Angleterre.

Edgcote purple
Conservation (précoce)
Origine : Grande-Bretagne, 1916
Lieux de culture : seulement dans les collections
Description : pomme de terre ovale, longue, peau bleue et chair jaune pâle. Excellente pomme de terre mais elle n'a jamais été populaire et n'est plus commercialisée.

Edzell blue

Edzell blue
Précoce
Origine : Écosse, avant 1915
Lieu de culture : Écosse (très peu cultivée)
Usages culinaires : à l'eau, purée
Description : ronde, peau bleue et chair blanche, farineuse et goûteuse. Faites bouillir à petit feu car elle se défait facilement. Très bonne à la vapeur et au four à micro-ondes.
Culture chez soi possible

Eigenheimer
Conservation (précoce)
Origine : Pays-Bas, 1893
Lieux de culture : Pays-Bas, Zaïre (rarement trouvée ailleurs)
Usages culinaires : frites
Description : ovale, peau blanche et chair jaune, excellente pour les frites et les chips. Très appréciée des jardiniers hollandais.

À GAUCHE *Dunbar standard*

CI-DESSUS *Estima*

CI-DESSUS *Elvira*

Estima
Précoce
Origine : Pays-Bas, 1973
Lieux de culture : Algérie, Europe du Nord
Usages culinaires : au four, à l'eau, frites, rôties et la plupart des autres méthodes
Description : ovale uniforme, yeux superficiels, peau et chair jaune pâle, texture ferme mais moelleuse et saveur peu prononcée. Très cultivée comme précoce, saison exceptionnellement longue. Très bonne pomme de terre à cuire au four en début de saison, très populaire.
Culture chez soi aisée

Elvira
Origine : Inconnue
Lieu de culture : Italie
Usages culinaires : à l'eau, frites
Description : pomme de terre ovale, yeux en surface, peau jaune et chair jaune crème

Épicure
Très précoce
Origine : Grande-Bretagne, 1897
Lieux de culture : Canada, Grande-Bretagne
Usages culinaires : au four, à l'eau
Description : ronde, peau blanche et chair blanc crème, texture ferme mais yeux très enfoncés et goût reconnaissable. Traditionnelle en Écosse et très cultivée par les jardiniers écossais.
Culture chez soi aisée et répandue

Épicure

Fianna
Conservation (précoce)
Origine : Pays-Bas, 1987
Lieux de culture : Pays-Bas, Grande-Bretagne, Nouvelle-Zélande

Usages culinaires : au four, frites, purée, rôties ; produits industriels
Description : peau blanche lisse et chair ferme, texture farineuse agréable
Culture chez soi possible

Forty fold
Conservation (précoce)
Origine : Grande-Bretagne, 1893 ; rousse, Grande-Bretagne, 1919
Lieu de culture : Grande-Bretagne (très limitée)
Usages culinaires : bonne variété à tout faire
Description : tubercule irrégulier, yeux enfoncés, peau blanche ou pourpre lavée de blanc ou de roux, chair jaune crème et savoureuse. Spécialité de l'époque victorienne qui connaît actuellement un renouveau.
Culture chez soi possible

À GAUCHE *Fianna*

CI-DESSUS – *Forty fold, blanche et rousse*

Francine
Conservation
Origine : France, 1933
Lieux de culture : Allemagne, France, Grande-Bretagne
Usages culinaires : à l'eau, en salade
Description : peau rouge, chair blanc crème, texture tendre mais ferme et goût de noisette. Parfaite pour gratins et cuisson vapeur.

Frisia
Conservation (précoce)
Origine : Pays-Bas
Lieux de culture : Bulgarie, Canada, Europe continentale, Nouvelle-Zélande
Usages culinaires : au four, à l'eau, rôties, en salade
Description : pomme de terre ovale, peau jaune crème, chair blanche et texture moelleuse légèrement ferme

Gemchip
Conservation (tardive)
Origine : États-Unis, 1989
Lieux de culture : Canada, États-Unis (Colorado, Idaho, Oregon, Washington)
Usages culinaires : au four, à l'eau, frites ; produits industriels
Description : courte et ronde, peau lisse fauve clair et chair blanche

Golden wonder
Conservation (tardive)
Origine : Grande-Bretagne, 1906
Lieu de culture : Grande-Bretagne
Usages culinaires : à l'eau, rôties ; produits industriels
Description : grosse pomme de terre ovale, chair jaune pâle et peau brun-roux, très farineuse après cuisson, goûteuse. Fait d'excellentes chips. Son goût s'améliore encore à la conservation.
Culture chez soi aisée, populaire en Écosse

Goldrush
Conservation
Origine : Dakota du Nord, 1992
Lieux de culture : Canada, États-Unis
Usages culinaires : au four, à l'eau, rôties, presque toutes cuissons
Description : nouveau type de russet (roux), ovale, peau brun clair et chair très blanche, savoureuse

Granola
Précoce (précoce/conservation)
Origine : Allemagne de l'Ouest, 1975
Lieux de culture : Allemagne, Australie, Inde, Indonésie, Népal, Pakistan, Pays-Bas, Suisse, Turquie, Vietnam
Usages culinaires : au four, à l'eau, frites
Description : ovale, peau jaune vif et chair jaune crème

Home guard
Très précoce
Origine : Écosse, 1942
Lieu de culture : Grande-Bretagne (surtout en Cornouailles et dans le Pembrokeshire)
Usages culinaires : à l'eau, frites, rôties et autres méthodes
Description : ronde ou ovale, peau blanche et chair blanc crème, texture sèche assez farineuse, goût presque amer. L'une des premières pommes de terre nouvelles à arriver sur le marché, excellente très jeune.
Culture chez soi aisée

Gemchip

Ilam hardie
Toute l'année
Origine : inconnue
Lieux de culture : Afrique du Sud, Nouvelle-Zélande
Usages culinaires : au four, à l'eau, frites, purée, rôties, en salade et la plupart des autres méthodes
Description : peau jaune et chair blanche, farineuse et très goûteuse

International kidney jersey royal
Conservation (précoce)
Origine : Grande-Bretagne, 1879
Lieux de culture : Australie, Europe continentale, Grande-Bretagne
Usages culinaires : à l'eau, en salade
Description : longue, ovale, peau jaune-blanc très « peleuse », chair blanc crème, ferme avec un délicieux goût de beurre. International kidney, développée en Angleterre dans les années 1870, est un peu plus petite que l'original Jersey royal. Beaucoup de pays ont essayé de cultiver Jersey royal, mais elle ne pousse bien que dans le sol riche de Jersey. Elle est exportée dans de nombreux pays.
Culture chez soi possible

Francine

CI-DESSUS *Irish cobbler*

Irish cobbler America
Très précoce
Origine : États-Unis, 1876
Lieux de culture : Canada, Corée du Sud, États-Unis
Usages culinaires : à l'eau, frites, purée et la plupart des autres méthodes
Description : pomme de terre ronde, moyenne à grosse, peau et chair blanc crème. Très cultivée en Grande-Bretagne au début du siècle, probablement parce qu'elle vient à maturité plus tôt que les autres, mais est plus ou moins abandonnée depuis la Première Guerre mondiale, sauf aux États-Unis.
Culture chez soi possible

Itasca
Conservation
Origine : Minnesota, 1994
Lieux de culture : Canada, États-Unis
Usages culinaires : au four, à l'eau, frites, purée, rôties
Description : pomme de terre ovale ou ronde, peau lisse claire et chair blanc crème

Jaerla
Très précoce
Origine : Pays-Bas, 1969
Lieux de culture : Algérie, Argentine, Grèce, Pays-Bas, Turquie, Yougoslavie
Usages culinaires : au four, à l'eau et la plupart des autres méthodes
Description : longue, ovale, peau claire et chair jaune pâle, texture ferme

Kanona
Conservation
Origine : États-Unis, 1989
Lieux de culture : Canada, États-Unis
Usages culinaires : au four, à l'eau, frites ; produits industriels
Description : grosse pomme de terre ronde, peau blanche légèrement marbrée, chair blanche

Karlena
Origine : Allemagne, 1993
Lieux de culture : Allemagne, Égypte, France, Grande-Bretagne, Hongrie, Israël, Scandinavie (encore très limitée)
Usages culinaires : au four, frites, purée, rôties
Description : pomme de terre de grosseur moyenne, ronde, peau jaune, chair jaune et saveur reconnaissable mais très farineuse. Excellente cuite à l'eau en très précoce, en robe des champs en pleine saison, rôtie et en frites ; cuire à l'eau avec précaution pour éviter qu'elle se désintègre.

Katahdin
Conservation (tardive)
Origine : États-Unis, 1932
Lieux de culture : Canada, États-Unis, Nouvelle-Zélande
Usages culinaires : au four, à l'eau, en salade et la plupart des autres méthodes
Description : ronde à ovale, peau lisse, mince, fauve, chair blanche, ferme, moelleuse. Très populaire dans le Maine (États-Unis).

Katahdin

CI-DESSUS *De gauche à droite : kennebec, kepplestone kidney, karlena*

Kennebec
Conservation
Origine : États-Unis, 1948
Lieux de culture : Argentine, Australie, Canada, Corée du Sud, États-Unis, Italie, Nouvelle-Zélande, Portugal, Taïwan, Uruguay
Usages culinaires : au four, à l'eau, frites, purée, rôties et la plupart des autres méthodes ; produits industriels
Description : grosse pomme de terre ovale à ronde, peau lisse, blanc beige, chair blanche. Très cultivée dans de nombreux pays du monde pour sa production régulière. Était très utilisée pour la production industrielle de frites, moins aujourd'hui bien que ce soit une bonne pomme de terre à tout faire. Très appréciée par les jardiniers américains.

Kepplestone kidney
Précoce (précoce de conservation)
Origine : Grande-Bretagne, 1919
Lieux de culture : n'est pas commercialisée
Usages culinaires : à l'eau
Description : pomme de terre de forme classique, peau bleue, chair jaune et riche saveur fondante
Culture chez soi aisée

Kerr's pink
Conservation (tardive)
Origine : Écosse, 1917
Lieux de culture : Grande-Bretagne, Irlande, Pays-Bas
Usages culinaires : au four, à l'eau, frites, purée, rôties
Description : ronde, peau rose, chair blanc crème, yeux enfoncés, farineuse
Culture chez soi possible

CI-DESSOUS *Kerr's pink*

King Edward et red king Edward
Conservation
Origine : Grande-Bretagne, 1902 (rouge, 1916)
Lieux de culture : Australie, Espagne, Grande-Bretagne, îles Canaries, Nouvelle-Zélande, Portugal
Usages culinaires : au four, frites, purée, rôties et la plupart des autres méthodes
Description : ovale ou incurvée. Peau blanche teintée de rose, chair jaune pâle ou jaune crème, texture farineuse. La plus populaire en Grande-Bretagne pendant une grande partie du XXe siècle, avait disparu des marchés mais connaît un renouveau.
Culture chez soi possible

Kipfler
Conservation
Origine : Autriche, 1955
Lieu de culture : Australie (difficile à trouver)
Usages culinaires : au four, à l'eau, frites, rôties, en salade et la plupart des autres méthodes
Description : chair et peau jaune, petite à moyenne, allongée, souvent appelée pomme de terre doigt. Texture ferme et goût de noisette. Peu conseillée pour les frites mais cuit bien au four à micro-ondes et est excellente en salade.

Krantz
Conservation
Origine : États-Unis, 1985
Lieux de culture : Canada, États-Unis
Usages culinaires : au four, à l'eau, frites ; produits industriels
Description : ovale, peau brun roux et chair blanche

CI DESSUS *King Edward*

À GAUCHE *Lumper*

Linzer delikatess
Précoce
Origine : Autriche, 1976
Lieux de culture : Autriche, Grande-Bretagne
Usages culinaires : à l'eau, en salade
Description : petite pomme de terre ovale ou en forme de poire, peau jaune pâle, chair jaune. Texture fine et ferme. Son goût ressemble à celui de la ratte en moins prononcé. Bonne froide et dans la plupart des plats cuits qui demandent une chair ferme.
Culture chez soi possible

Lumper
Conservation (précoce)
Origine : Irlande, 1806
Lieux de culture : collections seulement
Description : pomme de terre ronde ou ovale, peau et chair blanches, yeux très enfoncés, lui donnant un aspect irrégulier. Manque de goût. A disparu à l'époque de la famine irlandaise, alors qu'elle représentait la plus grosse production. En raison de ses qualités culinaires médiocres, on ne la trouve que dans les livres d'histoire et dans les conservatoires de graines.

Marfona

Maori chief Peru
Précoce
Origine : Nouvelle-Zélande
Lieu de culture : Nouvelle-Zélande
Usages culinaires : à l'eau, rôties, en salade
Description : peau violet-noir, chair violet foncé/noir, goût sucré de pomme de terre nouvelle. La peau très tendre n'a pas besoin d'être pelée. Délicieuse cuite à la vapeur, meilleure si elle est consommée dans les dix jours de la récolte. Une autre variété néo-zélandaise à la chair jaune fondante lui dispute le titre de maori chief.

Marfona
Précoce
Origine : Pays-Bas, 1975
Lieux de culture : Chypre, Grande-Bretagne, Grèce, Israël, Pays-Bas, Portugal, Turquie
Usages culinaires : au four, à l'eau, frites, purée
Description : ronde, ovale, peau et chair beiges à jaunes, texture lisse et ferme, goût légèrement piquant
Culture chez soi possible

Maris bard
Très précoce
Origine : Grande-Bretagne, 1972
Lieu de culture : Grande-Bretagne
Usages culinaires : à l'eau et la plupart des autres méthodes
Description : peau blanche, chair blanc crème, fondante et ferme, goût boisé. L'une des très précoces les plus cultivées. En fin de saison, peut se défaire à la cuisson et perd son goût.
Culture chez soi possible

Magnum bonum
Conservation (tardive)
Origine : Grande-Bretagne, 1876
Lieux de culture : Grande-Bretagne, Népal
Usages culinaires : au four, à l'eau, purée, rôties
Description : pomme de terre longue, ovale, à peau et chair blanches, sèche et farineuse. Très savoureuse. L'une des premières réussites commerciales grâce à sa bonne production, ses excellentes qualités culinaires et sa résistance au mildiou. Ancêtre de king Edward.

Majestic
Conservation (précoce)
Origine : Écosse, 1911
Lieux de culture : Grande-Bretagne (aujourd'hui seulement en Écosse pour la semence), Italie
Usages culinaires : au four, à l'eau, purée
Description : grosse pomme de terre ovale, peau blanche et chair blanche et tendre, saveur peu prononcée. Était autrefois la plus cultivée en Grande-Bretagne mais ne convient plus commercialement et est surtout cultivée aujourd'hui pour les jardiniers (semences).
Culture chez soi possible

Maori chief

Maris peer
Précoce
Origine : Grande-Bretagne, 1962
Lieu de culture : Grande-Bretagne
Usages culinaires : à l'eau, frites, en salade
Description : pomme de terre ronde à ovale, peau et chair jaune crème, yeux plus ou moins enfoncés, texture ferme après cuisson. Meilleure quand elle est jeune, en pomme de terre nouvelle, étant donné sa bonne tenue à la cuisson. Les grosses pommes de terre plus tardives sont excellentes cuites au four.
Culture chez soi possible

Maris piper
Conservation (précoce)
Origine : Grande-Bretagne, 1964
Lieux de culture : Grande-Bretagne, Portugal
Usages culinaires : au four, frites, rôties ; produits industriels
Description : ovale, peau et chair jaune crème, texture farineuse et goût agréable. Très populaire en Grande-Bretagne. Se désintègre facilement si elle est trop cuite.
Culture chez soi aisée

CI-DESSUS À DROITE *Maris piper*
CI-DESSOUS *Dans le sens des aiguilles d'une montre à partir du haut : mondial, mona lisa, morene*

Minerva
Très précoce
Origine : Pays-Bas, 1988
Lieu de culture : Pays-Bas
Usages culinaires : à l'eau, frites
Description : pomme de terre ovale, peau blanche et chair jaune crème. Très bonne cuite à l'eau à cause de sa texture ferme.

Mona lisa
Précoce
Origine : Pays-Bas, 1982
Lieux de culture : France, Grèce, Pays-Bas, Portugal
Usages culinaires : au four, à l'eau, frites, purée, rôties ; produits industriels
Description : longue, ovale, parfois en forme de haricot, peau et chair jaunes, ferme mais devient farineuse à la cuisson. Bonne saveur de noisette. Assez grosse pour une pomme de terre nouvelle mais polyvalente. Encore peu cultivée commercialement.
Culture chez soi possible

Mondial
Conservation (précoce)
Origine : Pays-Bas, 1987
Lieux de culture : Grèce, Israël, Nouvelle-Zélande, Pays-Bas
Usages culinaires : au four, frites, purée, rôties
Description : longue, ovale, peau et chair jaunes, légèrement farineuse
Culture chez soi aisée dans la plupart des conditions

CI-DESSUS *Nadine*

Monona
Conservation (précoce)
Origine : États-Unis, 1964
Lieux de culture : Canada, États-Unis (États du Centre-Nord et du Nord-Est)
Usages culinaires : au four, à l'eau, frites
Description : ronde ou ovale, peau blanc fauve et chair blanche. Surtout cultivée pour la production industrielle de frites.

Morene
Conservation (précoce)
Origine : Pays-Bas, 1983
Lieux de culture : Grande-Bretagne, Pays-Bas
Usages culinaires : au four, à l'eau, frites ; produits industriels
Description : grosse pomme de terre ovale, longue, peau blanche et chair farineuse jaune crème. Comme elle a tendance à se défaire à la cuisson, ne la faites pas trop cuire.
Culture chez soi possible

Nadine
Précoce
Origine : Écosse, 1987
Lieux de culture : Australie, Espagne, Grande-Bretagne, îles Canaries, Nouvelle-Zélande
Usages culinaires : au four, à l'eau, purée, en salade
Description : peau jaune crème et chair blanche, texture ferme et fine mais goût légèrement décevant. Parfois vendue comme petite pomme de terre nouvelle avec une peau tendre qui pèle facilement. Les grosses pommes de terre sont bonnes cuites au four.
Culture chez soi possible

Monona

Navan
Conservation (tardive)
Origine : Irlande, 1987
Lieux de culture : Grande-Bretagne, Irlande
Usages culinaires : au four, frites, rôties
Description : ovale, peau blanc fauve, chair blanc crème, goût agréable. Texture ferme et fine.
Culture chez soi possible

Description : ronde ou ovale, peau lisse blanche et chair blanche. Excellente pour les frites.

NorDonna
Conservation
Origine : Dakota du Nord, 1995
Lieux de culture : Canada, États-Unis
Usages culinaires : au four, à l'eau, rôties, en salade
Description : tubercule ovale ou rond, peau rouge foncé, chair blanche, goût agréable. Convient à la cuisson au four à micro-ondes, en soupe ou froide.

Nicola

Nicola
Conservation (toute l'année)
Origine : Allemagne de l'Ouest, 1973
Lieux de culture : Allemagne, Australie, Autriche, Chypre, Égypte, France, Grande-Bretagne, Israël, Maroc, Nouvelle-Zélande, Portugal, Suisse, Tunisie
Usages culinaires : au four, à l'eau, frites, purée, rôties, en salade et la plupart des méthodes de cuisson
Description : tubercule allongé, peau jaune lisse et chair jaune foncé. Texture ferme, délicieux goût de noisette. Cultivée à l'origine dans les pays méditerranéens mais la vogue des salades mélangées a élargi son domaine. Parfaite pour tous les usages culinaires et particulièrement en salade, à la vapeur, sautée et en gratins.
Culture chez soi possible

Norchip

Nooksak
Conservation (tardive)
Origine : États-Unis, 1973
Lieux de culture : Canada, États-Unis, Nouvelle-Zélande
Usages culinaires : au four, à l'eau ; produits industriels
Description : ovale, légèrement aplatie, peau piquetée de roux et chair très blanche. Excellente pomme de terre de conservation, bonne au four.

Norchip
Précoce
Origine : Dakota du Nord, 1968
Lieux de culture : Canada, États-Unis (Caroline du Nord, Dakota)
Usages culinaires : à l'eau, au four, frites

Norland
Précoce
Origine : Dakota du Nord, 1957
Lieux de culture : Canada, États-Unis, Grande-Bretagne
Usages culinaires : au four, à l'eau, purée, en salade
Description : ovale, légèrement aplatie, peau rougeâtre et chair blanc crème. La red nordland, à peau rouge et chair pâle est aussi disponible en Europe.
Culture chez soi possible

Norwis
Conservation
Origine : États-Unis, 1965
Lieu de culture : États-Unis
Usages culinaires : au four, à l'eau, frites ; produits industriels
Description : gros tubercules ovales, légèrement aplatis, peau lisse, beige clair à blanc, chair jaune crème pâle

Norwis

Onaway
Précoce
Origine : États-Unis, 1956
Lieux de culture : Canada, États-Unis (États du Nord-Est et Michigan)
Usages culinaires : au four, à l'eau
Description : courte et ronde, peau lisse jaune crème, chair blanc crème

Patrones
Conservation (précoce)
Origine : Pays-Bas, 1959
Lieux de culture : Australie, Indonésie, Malawi, Pakistan, Vietnam
Usages culinaires : au four, à l'eau, rôties, en salade
Description : petite, ovale, peau et chair jaune clair, texture ferme et fine. Ces pommes de terre sont parfaites à la vapeur, en gratin et en röstis.

Penta
Précoce
Origine : Pays-Bas, 1983
Lieux de culture : Canada, Pays-Bas
Usages culinaires : au four, à l'eau, purée, rôties
Description : ronde, yeux rouge rosé très enfoncés, peau blanc crème et chair riche blanc crème. Pomme de terre de conservation assez nouvelle, ayant tendance à se désintégrer quand elle est cuite à l'eau. Bonne à la vapeur et au four à micro-ondes.

EN HAUT *Penta*
À GAUCHE *Onaway*

Pentland crown
Conservation
Origine : Écosse, 1959
Lieux de culture : Grande-Bretagne (Écosse, mais assez rare), Malawi
Usages culinaires : au four, à l'eau, rôties
Description : ovale ou ronde, peau blanche et chair blanc crème. La première des variétés pentland à devenir populaire dans les années soixante-dix, surtout dans l'est de l'Angleterre, mais tombée dans l'oubli aujourd'hui, ses qualités culinaires étant médiocres.
Culture chez soi possible

Pentland dell
Conservation (précoce)
Origine : Écosse, 1961
Lieux de culture : Afrique du Sud, Grande-Bretagne, Nouvelle-Zélande
Usages culinaires : au four, frites, rôties ; produits industriels
Description : tubercule moyen, ovale, peau blanche, chair blanc crème et texture ferme assez sèche. Tendance à se défaire à la cuisson à l'eau mais bonne cuite au four.
Culture chez soi possible

Pentland hawk
Conservation (précoce)
Origine : Écosse, 1966
Lieu de culture : Grande-Bretagne
Usages culinaires : au four, à l'eau, frites, rôties ; produits industriels
Description : ovale, peau blanche et chair blanc crème, saveur agréable. Très populaire en Écosse pour sa bonne tenue à la cuisson. Se conserve très bien, mais a tendance à noircir après cuisson. Meilleure en fin de saison.
Culture chez soi possible

Pentland javelin
Très précoce
Origine : Écosse, 1968
Lieu de culture : Grande-Bretagne
Usages culinaires : à l'eau, en salade
Description : ovale, de grosseur moyenne, peau et chair blanches, texture ferme et tendre. C'est une bonne pomme de terre nouvelle, mais elle est excellente au four ou rôtie en fin de saison.
Culture chez soi aisée

Pentland marble
Très précoce
Origine : Écosse, 1970
Lieu de culture : Grande-Bretagne
Usages culinaires : à l'eau, en salade
Description : ronde ou ovale, peau blanche et chair ferme jaune clair. Excellente en petite primeur, pour les salades, contrairement à la plupart des autres pentlands. Récemment réintroduite sur le marché.
Culture chez soi possible

Pentland squire
Conservation (précoce)
Origine : Écosse, 1970
Lieu de culture : Grande-Bretagne
Usages culinaires : au four, purée, rôties ; produits industriels
Description : ovale, peau blanche et chair blanc crème, très farineuse, savoureuse. Excellente cuite au four et en frites.
Culture chez soi aisée

CI-DESSUS *Dans le sens des aiguilles d'une montre à partir du haut : variétés pentland, hawk, javelin, dell, marble, crown et squire*

Picasso
Conservation (précoce)
Origine : Pays-Bas, 1992
Lieux de culture : Espagne, Grande-Bretagne, îles Baléares, Portugal
Usages culinaires : à l'eau, en salade
Description : petite pomme de terre ovale ou ronde, yeux rouges très enfoncés, peau pâle, chair blanche et ferme
Culture chez soi possible

Pike
Conservation
Origine : Pennsylvanie, 1996
Lieux de culture : Canada, États-Unis
Usages culinaires : à l'eau, au four, frites ; produits industriels
Description : pomme de terre moyenne, sphérique, yeux très enfoncés, peau fauve marbrée, chair blanc crème. Elle a tendance à noircir après la cuisson.

Pimpernel
Conservation (précoce)
Origine : Pays-Bas, 1953
Lieux de culture : Afrique du Sud, Chili, Malawi, Norvège, Zaïre
Usages culinaires : pomme de terre à tout faire
Description : ovale, peau rose ou rouge et chair jaunâtre

Pink eye southern gold, sweet gold ou pink gourmet
Précoce
Origine : Grande-Bretagne, 1862
Lieu de culture : Australie
Usages culinaires : à l'eau, purée, en salade et la plupart des autres méthodes
Description : petite pomme de terre à peau lisse blanc crème lavée de pourpre, chair jaune crème, texture farineuse et goût de noisette. Originaire du Kent, elle n'est cultivée aujourd'hui qu'en Australie et considérée comme nouvelle variété.

Picasso

CI-DESSOUS *Pink fir apple*

Pink fir apple
Conservation (tardive)
Origine : Écosse, 1850
Lieux de culture : Australie, France, Grande-Bretagne
Usages culinaires : à l'eau, au four, rôties, en salade
Description : tubercule allongé à la surface très irrégulière, peau rose et chair ferme, jaune. Délicieuse saveur de noisette. Meilleure cuite avec sa peau. Connaît un renouveau bien qu'elle ait été toujours appréciée des jardiniers pour sa bonne conservation. Difficile à éplucher crue, mais excellente froide, en salade, avec un assaisonnement chaud ou servie en pomme de terre nouvelle.
Culture chez soi aisée

Pompadour
Conservation (tardive)
Origine : Pays-Bas 1976
Lieu de culture : France
Usages culinaires : à l'eau, en salade
Description : tubercule allongé à peau jaune clair et chair ferme. Excellente à la vapeur ou en robe des champs.

Premiere
Très précoce
Origine : Pays-Bas, 1979
Lieux de culture : Bulgarie, Canada, Grande-Bretagne, Pays-Bas
Usages culinaires : à l'eau, au four, frites, rôties
Description : grosse pomme de terre ovale, peau jaune clair, chair ferme jaune et saveur agréable. Moins fine que beaucoup de pommes de terre précoces.
Culture chez soi possible

Primura
Très précoce
Origine : Pays-Bas, 1963
Lieux de culture : Danemark, Italie, Pays-Bas
Usages culinaires : à l'eau, frites
Description : ovale à ronde, de taille moyenne, peau jaune, chair jaune pâle, yeux en surface et texture ferme

Ratte (la) corne, corne de bélier, saucisse de Lyon
Conservation (tardive)
Origine : France, 1872
Lieux de culture : Allemagne, Australie, Danemark, France (a commencé récemment à être cultivée hors de la France), Grande-Bretagne
Usages culinaires : à l'eau, en salade
Description : tubercule allongé, presque en forme de banane, moins irrégulier que pink fir. Peau jaune brun et chair blanc crème, ferme et fine avec un délicieux goût de noisette. Très bonne froide. Très populaire en France et de plus en plus appréciée dans les autres parties du monde.
Culture chez soi aisée

CI-DESSUS *De haut en bas : ratte, record*

Record
Conservation (précoce)
Origine : Pays-Bas, 1932
Lieux de culture : Grande-Bretagne (cultivée en Angleterre pour les produits industriels), Grèce, Pays-Bas, Yougoslavie
Usages culinaires : à l'eau, frites, purée, rôties ; produits industriels
Description : peau blanche lavée de rose, chair jaune ou jaune clair, texture farineuse et excellent goût. Pomme de terre polyvalente.
Culture chez soi possible

CI-DESSUS *De gauche à droite : primura, premiere*

CI-DESSUS *Red rooster*

Red pontiac Dakota chief
Conservation (précoce)
Origine : États-Unis, 1983
Lieux de culture : Algérie, Australie, Canada, États-Unis (États du Sud-Est) Philippines, Uruguay, Venezuela
Usages culinaires : au four, à l'eau, purée, rôties, en salade
Description : tubercules ronds à ovales, peau rouge parfois marbrée, yeux très enfoncés et chair ferme blanche. Variété à peau rouge très appréciée dans le monde entier. Cuit bien au four à micro-ondes.
Culture chez soi possible

Red rascal
Conservation
Origine : inconnue
Lieu de culture : Nouvelle-Zélande
Usages culinaires : au four, purée, rôties
Description : peau rouge et chair jaune, un peu farineuse, saveur agréable

Red rooster
Conservation (précoce)
Origine : Irlande, 1993
Lieu de culture : Irlande
Usages culinaires : au four, à l'eau, frites, rôties, en salade ; produits industriels
Description : tubercule ovale, aplati, peau rouge vif et chair jaune, ferme fondante, goût peu prononcé. Pomme de terre assez nouvelle cultivée seulement en Irlande.
Culture chez soi possible

Red LaSoda
Conservation (tardive)
Origine : États-Unis, 1953
Lieux de culture : Algérie, Australie, Canada, États-Unis (États du Sud-Est), Uruguay, Venezuela
Usages culinaires : au four, à l'eau, rôties
Description : ronde ou ovale, peau lisse, rouge sombre, yeux profondément enfoncés et chair blanc crème. Parfaite pour toutes les cuissons et les plats au four.

Red pontiac

Red LaSoda

CI-DESSUS *De gauche à droite : romano, rocket, roseval*

Red ruby
Conservation
Origine : États-Unis, 1994
Lieux de culture : Canada, États-Unis
Usages culinaires : au four, à l'eau
Description : tubercule ovale, peau rouge foncé tachetée de roux, chair blanc vif. Bonne pomme de terre d'hiver.

Remarka
Conservation
Origine : Pays-Bas, 1992
Lieux de culture : Espagne, Grande-Bretagne, Pays-Bas, Portugal
Usages culinaires : au four, à l'eau, frites, rôties
Description : gros tubercule ovale, peau blanc crème, chair jaune pâle et saveur agréable. Excellente au four.
Culture chez soi idéale grâce à sa grande résistance à la maladie.

Rocket
Très précoce
Origine : Grande-Bretagne, 1987
Lieux de culture : Grande-Bretagne, Nouvelle-Zélande
Usages culinaires : au four, à l'eau, frites, purée, rôties, en salade
Description : ronde uniforme, peau blanche, chair blanche, ferme, fine et parfumée. L'une des variétés les plus précoces.
Culture chez soi possible

Romano
Conservation (précoce)
Origine : Pays-Bas, 1978
Lieux de culture : Cameroun, Espagne, Grande-Bretagne, Hongrie, îles Baléares, Pays-Bas, Portugal, Russie
Usages culinaires : au four, à l'eau, purée, rôties et la plupart des autres méthodes
Description : ronde ou ovale, peau rouge, chair blanc crème, texture sèche et tendre, agréable goût de noisette. Jolie couleur qui pâlit à la cuisson.
Culture chez soi possible

Roseval
Demi-tardive (précoce en conservation)
Origine : France, 1950
Lieux de culture : Australie, France, Grande-Bretagne, Israël, Nouvelle-Zélande
Usages culinaires : à l'eau, au four, en salade
Description : tubercule ovale, peau rouge foncé, chair jaune marbré de rouge. Texture ferme, saveur fondante. Pomme de terre excellente très appréciée pour la cuisson au four à micro-ondes.
Culture chez soi aisée

Remarka

Russet burbank

Rosine
Conservation (précoce)
Origine : Bretagne, 1972
Lieu de culture : France
Usages culinaires : à l'eau, en salade
Description : chair ferme parfaite à la vapeur, en gratins, en salade

Rouge (la)
Conservation (tardive)
Origine : États-Unis, 1962
Lieux de culture : Canada, États-Unis (États de l'Est et du Sud-Est)
Usages culinaires : à l'eau, au four
Description : moyenne grosseur, irrégulière, ronde/ovale aplatie, peau rouge vif lisse, yeux enfoncés et chair blanc crème. Sa couleur se fane à la conservation mais c'est une bonne pomme de terre d'hiver. Très populaire en Floride.

Royal kidney
Précoce
Origine : Grande-Bretagne, 1899
Lieu de culture : Grande-Bretagne (mais cultivée aujourd'hui à Majorque pour le marché britannique)
Usages culinaires : en salade
Description : ovale, légèrement incurvée, peau blanche lisse, chair jaune pâle et texture ferme. Bonne à consommer froide, elle est excellente dans les salades.

Rua
Conservation (précoce)
Origine : Nouvelle-Zélande, 1960
Lieu de culture : Nouvelle-Zélande
Usages culinaires : au four, à l'eau, frites, purée, rôties, en salade et la plupart des autres méthodes
Description : tubercule rond, peau blanc crème, chair blanche. Mi-ferme, mi-farineuse après cuisson. Bonne saveur, parfaite pour de nombreux plats.

Russet burbank Idaho russet ou netted gem
Conservation (tardive)
Origine : États-Unis, 1875
Lieux de culture : Australie, Canada, États-Unis (États du Nord-Ouest, du Centre et du Centre-Est), Grande-Bretagne (usage commercial seulement), Nouvelle-Zélande
Usages culinaires : au four, frites, purée, rôties ; produits industriels
Description : ovale et allongée, peau tachée de roux, chair jaune pâle ou blanche, farineuse et très goûteuse, la couleur s'intensifie après cuisson. C'est la pomme de terre emblème de l'État d'Idaho. Extrêmement populaire en Amérique et récemment adoptée par les frites McDonald. Pomme de terre la plus cultivée au Canada.

CI-DESSOUS *Royal kidney*

CI-DESSUS *De haut en bas : russet frontier, russet burbank*

Russet century
Conservation (tardive)
Origine : États-Unis, 1995
Lieu de culture : États-Unis
Usages culinaires : au four, à l'eau, purée, rôties
Description : tubercule allongé, cylindrique et légèrement aplati, peau claire, fauve pointillée de roux, chair blanc crème

Russet frontier
Précoce
Origine : États-Unis, 1990
Lieux de culture : Canada, États-Unis
Usages culinaires : au four, à l'eau, frites
Description : tubercule allongé, ovale, peau claire piquée de roux et chair blanc crème

Russet lemhi
Conservation (tardive)
Origine : États-Unis, 1981
Lieu de culture : États-Unis
Usages culinaires : au four, frites et la plupart des autres méthodes
Description : gros tubercule allongé, peau marbrée brun fauve et yeux blancs

Russet norking
Conservation
Origine : États-Unis, 1977
Lieux de culture : Canada, États-Unis
Usages culinaires : au four, à l'eau, frites
Description : tubercule ovale, peau épaisse tachetée de roux et chair blanc crème

Russet norkotah
Précoce
Origine : Dakota du Nord, 1987
Lieux de culture : Canada, États-Unis
Usages culinaires : au four, frites
Description : tubercule ovale allongé, peau roux sombre, chair blanche

Russet nugget
Conservation (tardive)
Origine : Colorado, 1989
Lieux de culture : Canada, États-Unis
Usages culinaires : au four, à l'eau, frites, rôties ; produits industriels
Description : tubercule allongé, légèrement aplati, peau uniformément piquée de roux, chair blanc crème

Russet ranger
Conservation (tardive)
Origine : États-Unis, 1991
Lieux de culture : Canada, États-Unis (Colorado, Idaho, Oregon, Washington)
Usages culinaires : au four, à l'eau, frites ; produits industriels
Description : tubercule allongé, peau piquée de roux ou fauve, chair blanc vif

Samba
Conservation (précoce)
Origine : France, 1989
Lieux de culture : France, Espagne, Portugal
Usages culinaires : au four, à l'eau, purée et la plupart des autres méthodes
Description : forme ovale régulière, peau blanche, chair jaune et farineuse après cuisson

Sangre
Conservation
Origine : Colorado, 1982
Lieux de culture : Canada, États-Unis (États de l'Ouest)
Usages culinaires : au four, à l'eau
Description : forme ovale, peau rouge sombre lisse, légèrement marbrée, chair blanc crème

Sante
Conservation (précoce)
Origine : Pays-Bas, 1983
Lieux de culture : Bulgarie, Canada, Grande-Bretagne, Pays-Bas
Usages culinaires : au four, à l'eau, frites, rôties
Description : ovale ou ronde, peau et chair blanches ou jaune clair, texture ferme et sèche. Elle est devenue la plus populaire des pommes de terre biologiques, souvent vendue comme pomme de terre nouvelle quand elle est jeune.
Culture chez soi possible

Saxon
Précoce
Origine : Grande-Bretagne, 1992
Lieu de culture : Grande-Bretagne (encore rare)
Usages culinaires : au four, à l'eau, frites
Description : peau et chair blanches, texture ferme mais fondante, goût excellent. Nouvelle pomme de terre tous usages qui cherche encore son marché et est très populaire sur le marché du préemballé.
Culture chez soi possible

CI-DESSUS *De gauche à droite : sante, saxon (en bas), sebago*

Sebago
Conservation (tardive)
Origine : États-Unis, 1938
Lieux de culture : Afrique du Sud, Australie, Canada, États-Unis (États du Nord), Malaisie, Nouvelle-Zélande, Venezuela
Usages culinaires : au four, à l'eau, frites, purée, rôties, en salade
Description : ronde ou ovale, peau blanc ivoire et chair blanche. Particulièrement bonne pour cuisson à l'eau et purée. La plus cultivée en Australie.

Sangre

Sebago

Sharpe's express
Très précoce et précoce
Origine : Grande-Bretagne, 1900
Lieux de culture : n'est pas sur le marché commercial bien qu'on la trouve parfois en Écosse
Usages culinaires : tous usages
Description : ovale ou en forme de poire, peau blanche et chair blanc crème. La cuisson est délicate, surtout à l'eau.
Culture chez soi parfois possible

Shepody

Shepody
Conservation (précoce)
Origine : New Brunswick, Canada, 1980
Lieux de culture : Canada, États-Unis (États du Nord), Nouvelle-Zélande
Usages culinaires : au four, à l'eau, frites, purée
Description : ovale allongé, peau blanche légèrement marbrée, chair jaune pâle et texture sèche et farineuse. Développée pour la production industrielle des frites en Amérique, rarement trouvée dans les supermarchés.

Shetland black black kidney
Précoce
Origine : Grande-Bretagne, 1923
Lieu de culture : Grande-Bretagne (très limitée)
Usages culinaires : à l'eau, purée
Description : peau bleu-noir, chair jaune avec un cercle pourpre reconnaissable. Très légère et farineuse, exceptionnellement fondante et sucrée. Jolie pomme de terre, parfaite dans les salades ou simplement servie avec du beurre. Bonne aussi en purée mais devient légèrement gris bleuté.
Culture chez soi possible

À GAUCHE *De haut en bas : skerry blue, swedish black, shetland black*

Shula
Conservation (précoce)
Origine : Grande-Bretagne, 1986
Lieu de culture : Écosse, mais encore rare
Usages culinaires : à l'eau, purée, rôties, tous usages
Description : forme ovale, peau rose par endroits, chair blanc crème
Culture chez soi parfois possible

Sieglinde
Précoce
Origine : Allemagne de l'Ouest, 1935
Lieux de culture : Allemagne, Chypre
Usages culinaires : à l'eau, rôties
Description : forme ovale allongée, peau blanche et chair jaune. Surveillez la cuisson, elle a tendance à se défaire.

Skerry Blue
Conservation (tardive)
Origine : Grande-Bretagne, vers 1846
Lieu de culture : Grande-Bretagne (non commercialisée)
Usages culinaires : à l'eau
Description : peau violet sombre et pourpre, chair blanc crème ou tachée de violet. Goût délicieux.
Culture chez soi possible

Snowden

CI-DESSUS *Spunta*

Snowden
Conservation (toute l'année)
Origine : États-Unis, 1990
Lieux de culture : Canada, États-Unis
Usages culinaires : au four, à l'eau, frites ; produits industriels
Description : tubercule rond légèrement aplati, peau fauve clair marbrée, chair blanc crème. Utilisée surtout au Canada pour l'industrie des frites.

Spunta
Précoce
Origine : Pays-Bas, 1968
Lieux de culture : Argentine, Australie, Chypre, France, Grande-Bretagne, Grèce, île Maurice, Indonésie, Italie, Malaisie, Nouvelle-Zélande, Pays-Bas, Portugal, Thaïlande, Tunisie, Vietnam
Usages culinaires : au four, à l'eau, frites, purée, rôties, en salade et la plupart des autres méthodes
Description : tubercule assez gros, allongé souvent incurvé ou en forme de poire, peau jaune pâle et chair jaune
Culture chez soi parfois possible

Stroma
Précoce
Origine : Écosse, 1989
Lieux de culture : Grande-Bretagne (encore rare), Nouvelle-Zélande
Usages culinaires : au four, à l'eau, purée, rôties
Description : joli tubercule ovale allongé, peau rose-rouge, chair jaune rosé, texture farineuse et saveur agréable
Culture chez soi possible

Superior

Superior
Précoce
Origine : États-Unis, 1962
Lieux de culture : Canada, Corée du Sud, États-Unis (Caroline du Nord)
Usages culinaires : frites et la plupart des autres méthodes
Description : forme irrégulière ronde ou ovale, peau fauve, parfois piquée de roux ou marbrée, chair blanche. Meilleure tôt dans la saison.

Swedish black
Origine : Inconnue
Lieux de culture : collections seulement
Usages culinaires : au four, à l'eau, purée
Description : tubercule assez gros, peau violet bleuâtre, yeux très enfoncés lui donnant une forme irrégulière. Chair bleue très farineuse.

Patate douce
Conservation
Origine : Amérique du Sud
Lieux de culture : très cultivée dans le sud des États-Unis et les îles du Pacifique, Japon, Russie
Usages culinaires : au four, à l'eau, purée, rôties ; produits industriels et la plupart des autres méthodes
Description : deux variétés, à peau blanche et à peau rouge, toutes deux à chair jaune et texture assez ferme. La rouge est plus sucrée et plus ferme. La patate douce n'est pas apparentée à la pomme de terre. Elle présente cependant les mêmes caractéristiques, avec un tubercule comestible dont la couleur de peau et de chair peut varier, et qui peut être traité exactement comme la pomme de terre. Aliment de base pour les Antilles, l'Afrique et l'Asie, elle commence à être appréciée dans la cuisine occidentale.

Toolangi delight
Origine : Australie
Lieu de culture : Australie (encore nouvelle et difficile à trouver)
Usages culinaires : au four, à l'eau, frites, purée, rôties, en salade, tous usages
Description : peau pourpre très reconnaissable, chair blanche lisse, sèche à la cuisson. L'une des rares pommes de terre obtenues en Australie.

Patate douce

Up to date
Conservation (tardive)
Origine : Écosse, 1894
Lieux de culture : Afrique du Sud, Birmanie, Chypre, Grande-Bretagne, île Maurice, Malawi, Népal
Usages culinaires : bonne variété polyvalente
Description : forme ovale rebondie, peau et chair blanches, saveur agréable. Première pomme de terre à avoir été cultivée à Chypre pour l'exportation et toujours très cultivée pour les petits marchés internationaux. C'était la principale variété en Grande-Bretagne au début du siècle.

Valor
Conservation (précoce)
Origine : Écosse, 1993
Lieux de culture : Grande-Bretagne, îles Canaries, Israël
Usages culinaires : au four, à l'eau
Description : tubercule ovale, peau blanche, chair blanc crème. Nouvelle pomme de terre encore peu courante sur les marchés.
Culture chez soi possible

À GAUCHE *Tosca*

Tosca
Conservation (tardive)
Origine : Grande-Bretagne, 1987
Lieu de culture : Grande-Bretagne (encore rare)
Usages culinaires : bonne variété polyvalente
Description : tubercule ovale, peau rouge rosé, chair agréable jaune clair

Ulster prince
Très précoce
Origine : Grande-Bretagne, 1947
Lieux de culture : Grande-Bretagne, Irlande
Usages culinaires : au four, à l'eau, frites, rôties
Description : gros tubercule incurvé, peau et chair blanches. Elle est meilleure consommée tôt dans la saison, sa saveur est alors exquise.
Culture chez soi possible

Ulster sceptre
Très précoce
Origine : Irlande du Nord, 1963
Lieu de culture : Irlande du Nord
Usages culinaires : au four, rôties, en salade et la plupart des autres méthodes
Description : petite, ovale, peau jaune pâle et chair ferme blanc crème. Noircit parfois après cuisson, ce qui l'a éloignée des marchés.

CI-DESSUS À GAUCHE *Ulster prince (en haut), ulster sceptre*
CI-DESSUS *Up to date*

CI-DESSUS *Vitelotte*

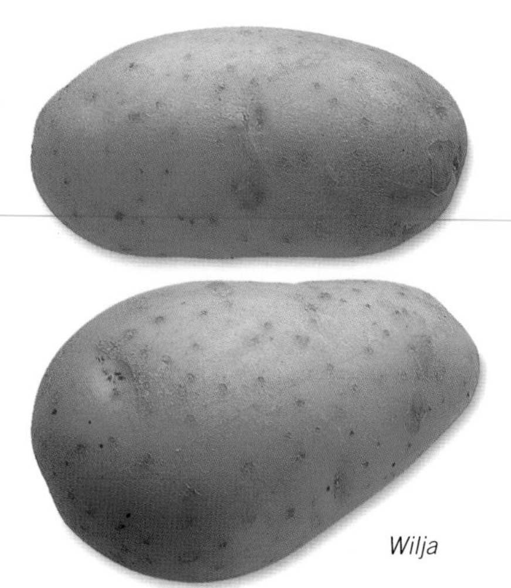

Wilja

Vanessa
Très précoce
Origine : Pays-Bas, 1973
Lieux de culture : Grande-Bretagne, Pays-Bas
Usages culinaires : à l'eau, rôties, en salade
Description : ovale allongée, peau rouge rosé, chair jaune pâle

Viking
Conservation
Origine : États-Unis (Dakota du Nord), 1963
Lieux de culture : Canada, États-Unis
Usages culinaires : au four, à l'eau, purée et la plupart des autres méthodes
Description : gros tubercule ovale ou rond, peau lisse rouge pâle, chair très blanche

Vitelotte truffe de Chine
Origine : inconnue
Lieux de culture : France, Grande-Bretagne
Usages culinaires : à l'eau, en salade
Description : petits tubercules longs et minces, violet-noir, chair bleu grisâtre foncé. Texture ferme et fine avec un léger goût de noix. La couleur reste après cuisson. Le nom truffe de Chine n'est pas souvent utilisé à cause de la confusion possible avec la truffe.

White rose american giant, Wisconsin pride, California long white
Très précoce
Origine : États-Unis, 1893
Lieux de culture : Canada, États-Unis (Californie, Oregon, Washington)
Usages culinaires : au four, à l'eau, purée
Description : grosse, très longue et aplatie, peau lisse blanche et yeux enfoncés, chair blanche. A perdu de sa popularité.

Wilja
Précoce
Origine : Pays-Bas, 1967
Lieux de culture : Pakistan, Pays-Bas
Usages culinaires : à l'eau, frites, purée, rôties
Description : forme ovale allongée, peau et chair jaune pâle, assez ferme, texture légèrement sèche. Deuxième plus cultivée des pommes de terre précoces. Souvent disponible en moyenne saison.
Culture chez soi possible

À DROITE *White rose*

Winston
Très précoce
Origine : Écosse, 1992
Lieux de culture : Grande-Bretagne, Nouvelle-Zélande
Usages culinaires : au four, frites, rôties, en salade
Description : tubercule ovale uniforme, sans yeux ou presque, peau blanc crème et texture très ferme. Ces pommes de terre sont particulièrement bonnes cuites au four, en début de saison.
Culture chez soi possible

À DROITE *Winston*
CI-DESSOUS *Yukon gold*

Yukon gold
Précoce (conservation)
Origine : Ontario, Canada, 1980
Lieux de culture : Canada, États-Unis (Californie, Michigan)
Usages culinaires : au four, à l'eau, frites
Description : gros tubercule ovale ou rond, peau fauve, chair jaune, yeux roses et texture légèrement farineuse. Excellente pomme de terre à cuire au four, très bon goût. Très populaire sur le marché international. Première pomme de terre à chair jaune à réussir en Amérique du Nord.
Culture chez soi possible

Recettes

Soupes

Potage épais et crémeux ou léger bouillon parfumé, rien n'égale une bonne soupe chaude. Les pommes de terre, qui en forment la base ou le point final, lui donnent un goût inimitable et une délicieuse texture. Les saveurs se mélangent à l'infini, que ce soit dans le *Minestrone génois* italien, la *Soupe au chou frisé et au chorizo* ou le classique *Potage aux poireaux et aux pommes de terre.*

SOUPE FROIDE AUX POIREAUX ET AUX POMMES DE TERRE

Cette variante onctueuse et rafraîchissante de la classique soupe aux poireaux et aux pommes de terre est relevée par le goût aigrelet du yaourt.

Pour 4 personnes

INGRÉDIENTS

- 2 pommes de terre farineuses moyennes détaillées en dés
- 3 poireaux émincés
- 25 g de beurre
- 1 cuil. à soupe d'huile
- 1 petit oignon haché
- 60 cl de bouillon de légumes
- 30 cl de lait
- 3 cuil. à soupe de crème liquide
- un peu de lait en plus (facultatif)
- sel et poivre noir du moulin
- 4 cuil. à soupe de yaourt nature et poireaux hachés sautés, en garniture

1 Chauffez le beurre et l'huile dans une grande casserole, ajoutez oignon, poireaux et pommes de terre. Couvrez et laissez cuire 15 min. Portez à ébullition, baissez le feu et laissez mijoter 10 min.

2 Remuez de temps à autre. Ajoutez le bouillon et le lait et laissez cuire un peu.

3 Versez le contenu de la casserole dans le bol d'un mixer et réduisez en purée lisse. Reversez dans la casserole, ajoutez la crème liquide et assaisonnez.

4 Laissez la soupe refroidir puis mettez-la au réfrigérateur 3 à 4 h. Ajoutez éventuellement un peu de lait, la soupe épaississant légèrement au froid.

5 Versez la soupe dans des bols et servez couronné d'1 cuillerée à soupe de yaourt nature et de quelques poireaux sautés.

SOUPE DE POMMES DE TERRE À LA ROQUETTE

La roquette apporte à cette délicieuse soupe son piquant poivré particulier. Servez-la chaude, garnie de petits croûtons goûteux à l'ail.

Pour 4 à 6 personnes

INGRÉDIENTS

- 2 pommes de terre farineuses moyennes coupées en dés
- 2 grosses poignées de roquette grossièrement hachée
- 3 poireaux hachés
- 50 g de beurre
- 1 oignon haché
- 1 l de bouillon de poulet dégraissé ou d'eau
- 15 cl de crème liquide
- sel et poivre noir du moulin
- croûtons frottés d'ail, en garniture

1 Faites fondre le beurre dans une grande casserole à fond épais et ajoutez les oignons, poireaux et pommes de terre ; mélangez pour les enduire de beurre. Chauffez à feu vif jusqu'à ce que les ingrédients grésillent puis baissez le feu.

2 Couvrez et faites suer les légumes 15 min. Ajoutez le bouillon ou l'eau et portez à ébullition puis baissez le feu, couvrez et faites cuire 20 min à feu doux, les légumes doivent être tendres.

3 Passez la soupe au moulin à légumes et remettez dans la casserole rincée. (N'utilisez pas de mixer qui rendrait la soupe collante.) Ajoutez la roquette hachée dans la casserole et faites cuire le tout 5 min à feu doux, sans couvercle.

4 Incorporez la crème liquide, assaisonnez à votre goût et réchauffez à feu doux. Versez la soupe dans des assiettes chauffées et garnissez le dessus de croûtons à l'ail.

POTAGE AUX POIREAUX ET AUX POMMES DE TERRE

Ces deux légumes, faciles à trouver toute l'année, donnent une soupe simple, substantielle et très goûteuse, à déguster en toutes saisons.

Pour 4 personnes

INGRÉDIENTS

- 400 g de pommes de terre farineuses coupées en petits morceaux
- 2 poireaux hachés
- 50 g de beurre
- 1 petit oignon finement haché
- 1 l de bouillon de poulet ou de légumes
- sel et poivre noir du moulin
- pain grillé, en accompagnement

1 Chauffez 25 g de beurre dans une grande casserole à fond épais, ajoutez les poireaux et l'oignon hachés et laissez cuire à feu doux 7 min environ, en remuant de temps à autre pour les empêcher d'attacher ; ils doivent être souples, mais non dorés.

2 Ajoutez les pommes de terre et laissez cuire 2 à 3 min, en remuant de temps à autre. Ajoutez le bouillon et portez à ébullition puis baissez le feu, couvrez et laissez cuire 30 à 35 min à feu doux, les légumes doivent être très tendres.

3 Assaisonnez à votre goût, retirez la casserole du feu et incorporez le reste du beurre. Servez la soupe chaude avec des tranches épaisses de pain grillé.

CONSEIL

Si vous préférez une soupe plus lisse, passez-la à travers un moulin à légumes quand elle est cuite. N'utilisez pas de mixer qui lui donnerait une consistance gluante.

SOUPE AUX CLAMS ET AUX CHAMPIGNONS

La délicate saveur sucrée des clams et le goût boisé des champignons sauvages s'associent aux pommes de terre pour donner cette soupe parfaite en toute occasion.

Pour 4 personnes

INGRÉDIENTS

- 250 g de pommes de terre farineuses coupées en grosses tranches
- 250 g de champignons sauvages émincés : chanterelles, lactaires délicieux, tricholomes de la Saint-Georges ou polypores soufrés
- 50 clams nettoyés (ou des moules si vous n'en trouvez pas)
- 50 g de beurre
- 1 gros oignon haché
- 1 côte de céleri émincée
- 1 carotte émincée
- 1,2 l de bouillon de poulet dégraissé ou de légumes, bouillant
- 1 brin de thym
- 4 tiges de persil
- sel et poivre noir du moulin
- brins de thym, en garniture

1 Mettez les clams dans une grande casserole, sauf ceux qui sont ouverts et que vous jetez. Ajoutez 1 cm d'eau, couvrez, portez à ébullition et laissez cuire à feu modéré 6 à 8 min, jusqu'à ce que tous les clams soient ouverts (jetez ceux qui restent fermés).

2 Égouttez les clams au-dessus d'une jatte, décoquillez et hachez grossièrement. Passez le jus de cuisson dans la jatte, ajoutez les clams hachés et réservez.

3 Mettez dans la casserole le beurre, l'oignon, le céleri et la carotte et faites cuire à feu doux pour attendrir les légumes sans les colorer. Ajoutez les champignons et laissez suer 3 à 4 min. Ajoutez les pommes de terre, les clams et leur jus, le bouillon, le thym et le persil.

4 Portez à ébullition puis baissez le feu, couvrez et laissez cuire 25 min. Assaisonnez, versez dans des assiettes et garnissez de thym.

SOUPE AU MAÏS ET AUX POMMES DE TERRE

Le maïs enrichit de sa douceur sucrée cette soupe paysanne onctueuse.
Elle est excellente garnie de cheddar râpé et fondant, et servie avec du pain grillé.

Pour 4 personnes

INGRÉDIENTS

- 1 pomme de terre moyenne hachée
- 300 g de maïs en grains en boîte
- 1 oignon haché
- 1 gousse d'ail écrasée
- 2 côtes de céleri émincées
- 1 petit poivron vert épépiné, partagé en deux et émincé
- 2 cuil. à soupe d'huile de tournesol
- 25 g de beurre
- 60 cl de bouillon ou d'eau
- 30 cl de lait
- 200 g de flageolets en boîte
- 1 bonne pincée de sauge séchée
- sel et poivre noir du moulin
- cheddar râpé, en garniture

1 Mettez l'oignon, l'ail, la pomme de terre, le céleri et le poivron dans une grande casserole avec l'huile et le beurre.

2 Chauffez les ingrédients jusqu'à ce qu'ils grésillent. Baissez le feu, couvrez et laissez cuire à feu doux 10 min, en secouant la casserole de temps à autre.

3 Ajoutez le bouillon ou l'eau, salez et poivrez à votre goût et portez à ébullition. Baissez le feu, couvrez à nouveau et laissez frémir environ 15 min, les légumes doivent être tendres.

4 Ajoutez le lait, les flageolets et le maïs avec leur eau, et la sauge. Laissez frémir 5 min, sans couvercle. Vérifiez l'assaisonnement et servez brûlant, parsemé de cheddar râpé.

SOUPE DE GALICIE

Dans cette soupe copieuse, véritable plat complet, le bouillon de porc communique aux pommes de terre son riche parfum et sa saveur salée (n'ajoutez pas trop de sel).

Pour 4 personnes

INGRÉDIENTS

- 800 g de pommes de terre coupées en gros morceaux
- 500 g de poitrine demi-sel
- 2 feuilles de laurier
- 2 oignons émincés
- 2 cuil. à café de paprika
- 250 g de feuilles de salade verte
- 450 g de haricots blancs en boîte, égouttés
- sel et poivre noir du moulin

CONSEIL

Vous pouvez peler les pommes de terre, mais elles seront plus goûteuses avec la peau.

1 Faites tremper la poitrine toute une nuit dans de l'eau froide, au réfrigérateur. Égouttez et mettez dans une grande casserole avec les feuilles de laurier et les oignons. Ajoutez 1,5 litre d'eau froide.

2 Portez à ébullition, baissez le feu et laissez frémir environ 1 h 30, la viande doit être tendre. Surveillez la casserole pour que le bouillon ne déborde pas.

3 Retirez la viande du bouillon et laissez légèrement refroidir. Jetez la couenne et la graisse en excès et coupez la viande en petits morceaux. Remettez dans la casserole avec le paprika et les pommes de terre. Faites reprendre l'ébullition, puis baissez le feu, couvrez et laissez frémir 20 min, les pommes de terre doivent être tendres.

4 Pendant ce temps, roulez les feuilles de salade et coupez-les en fines lanières. Mettez-les dans la casserole avec les haricots blancs et laissez mijoter 10 min, sans couvercle. Retirez les feuilles de laurier. Salez et poivrez à votre goût et servez brûlant.

VARIANTE

Vous pouvez remplacer la poitrine par du jarret dont l'os augmentera le parfum du bouillon. Congelez le bouillon s'il en reste.

CRÈME DE POMMES DE TERRE AUX ÉPINARDS

Cette délicieuse soupe crémeuse comporte peu de matières grasses.
Les épinards peuvent être remplacés par d'autres légumes, chou ou bettes par exemple.

Pour 4 personnes

INGRÉDIENTS

- 1 kg de pommes de terre farineuses coupées en dés
- 250 g d'épinards frais épluchés et lavés
- 1 gros oignon finement haché
- 1 gousse d'ail écrasée
- 2 côtes de céleri hachées
- 1,2 l de bouillon de légumes
- 100 g de fromage blanc
- 30 cl de lait
- 1 filet de xérès sec
- sel et poivre noir du moulin
- persil frais haché, en garniture
- pain grillé, en accompagnement

1 Mettez l'oignon, l'ail, les pommes de terre, le céleri et le bouillon dans une grande casserole. Laissez frémir 20 min.

2 Assaisonnez et ajoutez les épinards, laissez cuire encore 10 min. Retirez du feu et laissez tiédir.

3 Réduisez en purée au mixer ou au moulin à légumes et remettez dans la casserole.

4 Incorporez le fromage blanc et le lait, chauffez et vérifiez l'assaisonnement. Ajoutez un filet de xérès, puis servez garni de persil et accompagné de pain grillé.

POTAGE DE POMMES DE TERRE À L'AIL

Bon

Malgré la grande quantité d'ail qu'il contient, ce potage garde un goût subtil.
Servez-le brûlant avec du pain, pour vous réchauffer les soirs d'hiver.

Pour 4 personnes

INGRÉDIENTS

- 4 pommes de terre moyennes coupées en dés
- 2 petites têtes d'ail ou 1 grosse (environ 20 gousses)
- 1,8 l de bouillon de légumes
- sel et poivre noir du moulin
- persil plat, en garniture

VARIANTE

Rendez la soupe plus substantielle en mettant dans chaque assiette 1 tranche de pain grillé tartiné de fromage fondu. « Trempez » le pain avec la soupe.

1 Préchauffez le four à 190 °C (th. 6). Mettez les gousses d'ail non pelées sur une plaque à pâtisserie et faites cuire 30 min au four, jusqu'à ce qu'elles soient tendres.

2 Pendant ce temps, faites cuire partiellement les pommes de terre, 10 min à l'eau bouillante salée.

3 Faites frémir le bouillon 5 min. Égouttez les pommes de terre et ajoutez-les au bouillon.

4 Pressez la pulpe d'ail dans la soupe, en gardant quelques gousses pour la garniture, mélangez, assaisonnez. Laissez frémir 15 min et servez le potage garni avec les gousses d'ail et le persil.

SOUPE AUX POMMES DE TERRE ET AU HADDOCK

Cullen Skink *est une soupe écossaise classique, à base de morue du pays. C'est aussi un potage épais et onctueux au riche parfum de poisson fumé.*

Pour 6 personnes

INGRÉDIENTS

- 500 g de pommes de terre farineuses coupées en morceaux
- 350 g de filet de morue fumée
- 1 oignon haché
- bouquet garni
- 90 cl d'eau
- 60 cl de lait
- 40 g de beurre
- sel et poivre noir du moulin
- ciboulette ciselée, en garniture
- pain grillé, en accompagnement

1 Mettez la morue, l'oignon, le bouquet garni et l'eau dans une grande casserole à fond épais et portez à ébullition. Retirez l'écume qui monte en surface puis couvrez, baissez le feu et laissez pocher à feu doux 10 à 15 min, la morue fumée doit s'effeuiller facilement.

2 Retirez la morue fumée et laissez légèrement refroidir, puis enlevez la peau et les arêtes. Effeuillez la chair et réservez. Remettez la peau et les arêtes dans la casserole et laissez frémir 30 min.

3 Passez le bouillon de poisson et remettez-le dans la casserole. Ajoutez les pommes de terre et laissez mijoter 25 min. Ôtez les pommes de terre de la casserole. Versez le lait et portez à ébullition.

4 Écrasez les pommes de terre avec le beurre et incorporez dans la soupe. Ajoutez le poisson et réchauffez. Assaisonnez. Versez la soupe dans des assiettes, parsemez de ciboulette et servez avec le pain.

SOUPE ÉPICÉE D'AFRIQUE DU NORD

Soupe classique connue sous le nom de harira, *ce potage est souvent servi le soir chez les musulmans pendant le ramadan, après le jeûne de la journée.*

Pour 6 personnes

INGRÉDIENTS

- 500 g de pommes de terre farineuses coupées en dés
- 1 gros oignon haché
- 1,2 l de bouillon de légumes
- 1 cuil. à café de cannelle en poudre
- 1 cuil. à café de curcuma
- 1 cuil. à soupe de gingembre en poudre
- 1 pincée de poivre de Cayenne
- 2 carottes coupées en dés
- 2 côtes de céleri coupées en dés
- 400 g de tomates hachées en boîte
- 5 filaments de safran
- 400 g de pois chiches en boîte, égouttés
- 2 cuil. à soupe de coriandre hachée
- 1 cuil. à soupe de jus de citron
- sel et poivre noir du moulin
- quartiers de citron frits, en accompagnement

1 Dans un grand faitout, mettez l'oignon haché avec 30 cl de bouillon de légumes. Laissez frémir à feu doux environ 10 min.

2 Mélangez en pâte la cannelle, le curcuma, le gingembre, le poivre de Cayenne et 2 cuillerées à soupe de bouillon. Ajoutez au mélange précédent, avec les carottes, le céleri et le reste du bouillon.

3 Portez le tout à ébullition. Baissez le feu, couvrez et laissez frémir 5 min.

4 Ajoutez les tomates et les pommes de terre, couvrez et faites cuire 20 min à feu doux. Incorporez le safran, les pois chiches, la coriandre et le jus de citron. Assaisonnez et servez la soupe bouillante avec les quartiers de citron frits.

SOUPE AU CHOU FRISÉ ET AU CHORIZO

Cette soupe d'hiver généreuse est relevée d'une note pimentée apportée par le chorizo que vous choisirez de la meilleure qualité. Une nuit passée au réfrigérateur en relève encore le goût.

Pour 6 à 8 personnes

INGRÉDIENTS

- 700 g de pommes de terre rouges
- 250 g de chou frisé non pommé épluché
- 250 g de chorizo
- 1,8 l de bouillon de légumes
- 1 cuil. à café de poivre noir du moulin
- 1 pincée de poivre de Cayenne (facultatif)
- 12 tranches de baguette grillées
- sel et poivre noir du moulin

1 Mettez les feuilles du chou dans le bol d'un mixer et actionnez quelques secondes pour les hacher finement.

2 Piquez le chorizo et mettez-le dans une casserole avec assez d'eau pour le recouvrir. Laissez frémir 15 min. Égouttez et coupez en tranches minces.

3 Faites bouillir les pommes de terre 15 min environ, jusqu'à ce qu'elles soient tendres. Égouttez, mettez-les dans une jatte, puis écrasez-les en ajoutant un peu du liquide de cuisson pour former une pâte épaisse.

4 Portez le bouillon de légumes à ébullition et ajoutez le chou. Ajoutez le chorizo et laissez frémir 5 min. Incorporez la pâte, laissez mijoter 20 min. Assaisonnez de poivre noir et de Cayenne.

5 Répartissez les tranches de pain dans des assiettes et versez la soupe sur le pain. Servez parsemé de poivre.

CRÈME DE CHOU-FLEUR

Cette soupe légère est parfaite pour un déjeuner rapide.
Vous pouvez employer du chou-fleur vert pour une version plus colorée.

Pour 6 personnes

INGRÉDIENTS

- 3 grosses pommes de terre farineuses coupées en petits dés
- 1 chou-fleur moyen coupé en morceaux
- 2 cuil. à soupe d'huile d'olive
- 2 gros oignons coupés en petits dés
- 1 gousse d'ail écrasée
- 3 côtes de céleri coupées en petits dés
- 1,8 l de bouillon de légumes
- 2 carottes coupées en petits dés
- 1 cuil. à soupe d'aneth frais haché
- 1 cuil. à soupe de jus de citron
- 1 cuil. à café de moutarde
- 1 cuil. à café de graines de carvi
- 30 cl de crème liquide
- sel et poivre noir du moulin
- ciboules hachées en garniture

1 Chauffez l'huile dans une grande casserole, ajoutez les oignons et l'ail et laissez cuire quelques minutes pour les attendrir. Ajoutez les pommes de terre, le céleri et le bouillon, laissez frémir 10 min.

2 Ajoutez les carottes et laissez frémir encore 10 min.

3 Ajoutez le chou-fleur, l'aneth, le jus de citron, la moutarde et les graines de carvi et laissez frémir 20 min.

4 Réduisez la soupe en purée lisse au mixer, remettez dans la casserole, puis incorporez la crème liquide. Assaisonnez à votre goût et servez garni de ciboules hachées.

SOUPE AU MAÏS ET À LA PATATE DOUCE

L'association de maïs et de patate douce donne une saveur particulière et agréable à cette soupe très colorée.

Pour 6 personnes

INGRÉDIENTS

- 2 patates douces moyennes coupées en dés
- 450 g de grains de maïs
- 1 cuil. à soupe d'huile d'olive
- 1 oignon finement haché
- 2 gousses d'ail écrasées
- 1 petit piment rouge, épépiné et finement haché
- 1,8 l de bouillon de légumes
- 2 cuil. à café de cumin en poudre
- 1/2 poivron rouge finement haché
- sel et poivre noir du moulin
- quartiers de citron vert, en accompagnement

1 Chauffez l'huile et faites cuire l'oignon 5 min, pour l'attendrir. Ajoutez l'ail et le piment et faites cuire encore 2 min.

2 Versez 30 cl de bouillon et laissez frémir 10 min.

3 Mélangez le cumin avec un peu de bouillon pour former une pâte et incorporez dans la soupe. Ajoutez les patates douces, mélangez et faites cuire 10 min. Assaisonnez et mélangez à nouveau.

4 Ajoutez le poivron, le maïs et le reste du bouillon et laissez frémir 10 min. Réduisez la moitié de la soupe en purée au mixer et reversez dans la soupe non moulinée. Assaisonnez et servez avec des quartiers de citron vert.

MINESTRONE GÉNOIS

Les variations sur le minestrone sont infinies. Les légumes abondent dans cette version sans pâtes qui, accompagnée de pain grillé, formera un déjeuner chaleureux et substantiel.

Pour 6 personnes

INGRÉDIENTS

- 2 grosses pommes de terre farineuses coupées en petits dés
- 1,8 l de bouillon de légumes
- 1 gros oignon haché
- 3 côtes de céleri hachées
- 2 carottes coupées en petits dés
- 1/2 chou pommé coupé en très petits dés
- 250 g de haricots verts coupés en morceaux
- 2 boîtes de 400 g de haricots blancs, égouttés
- 4 cuil. à soupe de sauce *pesto* du commerce
- sel et poivre noir du moulin
- pain grillé et parmesan fraîchement râpé, en accompagnement

1 Versez le bouillon dans une grande casserole. Ajoutez l'oignon, le céleri et les carottes. Laissez frémir 10 min.

2 Ajoutez pommes de terre, chou et haricots verts. Laissez frémir 10 à 12 min, afin que les pommes de terre soient tendres.

3 Ajoutez les haricots blancs et le *pesto* et portez le mélange à ébullition. Assaisonnez à votre goût et servez le minestrone brûlant avec le pain grillé et beaucoup de parmesan fraîchement râpé.

SOUPE CATALANE AUX POMMES DE TERRE ET AUX FÈVES

Les fèves ont un goût délicat. Les fèves fraîches de saison sont meilleures mais les fèves en boîte ou surgelées peuvent parfaitement les remplacer.

Pour 6 personnes

INGRÉDIENTS

- 3 grosses pommes de terre farineuses coupées en dés
- 500 g de fèves fraîches
- 2 cuil. à soupe d'huile d'olive
- 2 oignons hachés
- 1,8 l de bouillon de légumes
- 1 bouquet de coriandre finement hachée
- 15 cl de crème liquide
- sel et poivre noir du moulin
- feuilles de coriandre, en garniture

CONSEIL

La peau extérieure des fèves peut parfois être coriace, surtout quand elles sont grosses. Pour la retirer facilement, commencez par ébouillanter les fèves quelques minutes, égouttez, passez sous l'eau froide et pincez-les entre vos doigts pour faire sortir la fève que vous ajouterez à la soupe.

1 Chauffez l'huile dans une grande casserole et faites cuire les oignons 5 min, en remuant de temps à autre, jusqu'à ce qu'ils soient tendres mais non dorés.

2 Ajoutez les pommes de terre, les fèves (en en réservant quelques-unes pour la garniture), et le bouillon au mélange précédent et portez à ébullition. Laissez frémir 5 min.

3 Incorporez la coriandre et laissez cuire encore 10 min à feu doux.

4 Réduisez en purée au mixer et remettez la soupe dans la casserole.

5 Incorporez la crème liquide (réservez-en un peu pour la garniture), assaisonnez et portez à frémissement. Servez la soupe garnie de feuilles de coriandre, de fèves et de crème liquide.

SOUPE ESPAGNOLE AUX POMMES DE TERRE ET À L'AIL

Servez cette soupe espagnole classique dans des assiettes en terre vernissée et régalez-vous.

Pour 6 personnes

INGRÉDIENTS

- 1 grosse pomme de terre non épluchée, coupée en tranches fines
- 4 gousses d'ail écrasées
- 2 cuil. à soupe d'huile d'olive
- 1 gros oignon finement émincé
- 1 cuil. à café de paprika
- 400 g de pulpe de tomates en boîte, égouttée
- 1 cuil. à café de feuilles de thym
- 90 cl de bouillon de légumes
- 1 cuil. à café de Maïzena
- sel et poivre noir du moulin
- thym haché, en garniture

1 Chauffez l'huile dans une grande casserole. Faites cuire 5 min les oignons, l'ail, la pomme de terre et le paprika, afin que les oignons soient fondants mais non dorés.

2 Ajoutez les tomates, le thym et le bouillon et laissez frémir 15 à 20 min, les pommes de terre doivent être cuites.

3 Délayez la Maïzena avec un peu d'eau et incorporez-la dans la soupe, laissez frémir 5 min pour qu'elle épaississe.

4 Écrasez légèrement les pommes de terre avec une cuillère. Assaisonnez à votre goût. Servez la soupe garnie de thym haché.

Entrées et hors-d'œuvre

Il est rare que les pommes de terre soient servies en entrée ou en hors-d'œuvre et pourtant elles le mériteraient. Les *Pelures de pommes de terre, sauce acadienne* font de savoureux amuse-gueules, tandis que les *Petits soufflés de pommes de terre et de gruyère* donnent une élégante entrée pour un dîner, de même que les classiques *Coquilles Saint-Jacques* avec leur bordure décorative.

COQUILLES SAINT-JACQUES

Pour que cette entrée classique soit parfaite, achetez des noix de Saint-Jacques fraîches et de très bonne qualité. Il vous faut également quatre coquilles vides.

Pour 4 personnes

INGRÉDIENTS

- 500 g de pommes de terre coupées en petits morceaux
- 4 grosses noix de Saint-Jacques ou 8 petites
- 50 g de beurre
- 12 cl de bouillon de poisson

Pour la sauce

- 25 g de beurre
- 25 g de farine
- 30 cl de lait
- 2 cuil. à soupe de crème liquide
- 120 g de cheddar vieux râpé
- sel et poivre noir du moulin
- brins d'aneth, en garniture
- demi-citrons grillés, en accompagnement

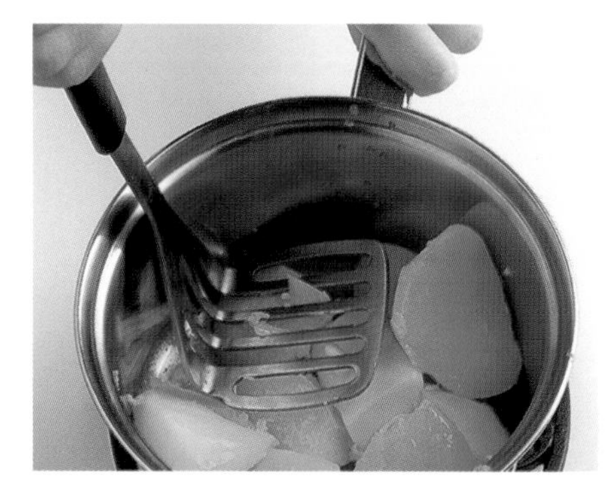

1 Préchauffez le four à 200 °C (th. 7). Mettez les pommes de terre dans une grande casserole d'eau et faites bouillir 15 min, jusqu'à ce qu'elles soient cuites. Égouttez, écrasez avec le beurre.

2 Mettez le mélange dans une poche à douille équipée d'une douille en étoile. Posez la purée sur le pourtour d'1 coquille. Faites de même sur les 3 autres coquilles.

3 Faites frémir 3 min les noix de Saint-Jacques dans un peu de bouillon de poisson. Égouttez et émincez les noix finement. Réservez.

4 Pour la sauce, faites fondre le beurre dans une petite casserole, ajoutez la farine et faites cuire 2 min à feu doux. Versez peu à peu le lait et la crème liquide, en remuant continuellement et en laissant cuire afin que la sauce épaississe.

5 Incorporez le fromage et laissez cuire jusqu'à ce qu'il soit fondu. Assaisonnez à votre goût. Posez un peu de sauce dans le fond de chaque coquille. Répartissez les Saint-Jacques entre les coquilles et arrosez avec le reste de la sauce.

6 Faites dorer 10 min au four. Garnissez d'aneth. Servez les coquilles Saint-Jacques avec des demi-citrons grillés.

PETITS SOUFFLÉS DE POMMES DE TERRE ET DE GRUYÈRE

Cette délicieuse entrée peut être préparée à l'avance si vous recevez des amis. Vous la passerez alors rapidement au four avant de servir.

Pour 4 personnes

INGRÉDIENTS

- 250 g de pommes de terre farineuses
- 170 g de gruyère râpé
- 2 œufs, les blancs séparés des jaunes
- 50 g de farine avec levain incorporé
- 50 g de feuilles d'épinard
- beurre pour graisser le plat
- sel et poivre noir du moulin
- feuilles de salade, en accompagnement

VARIANTE

Vous pouvez remplacer le gruyère par du bleu de Bresse ou du roquefort dont la saveur est plus prononcée.

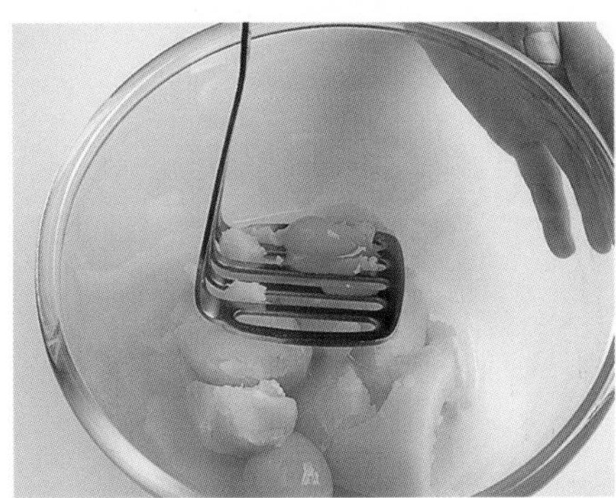

1 Préchauffez le four à 200 °C (th. 7). Faites cuire les pommes de terre 20 min à l'eau salée bouillante, elles doivent être très tendres. Égouttez et réduisez en purée avec les 2 jaunes d'œufs.

2 Incorporez la moitié du gruyère et toute la farine. Assaisonnez de sel et de poivre à votre goût.

3 Hachez finement les épinards et incorporez-les au mélange.

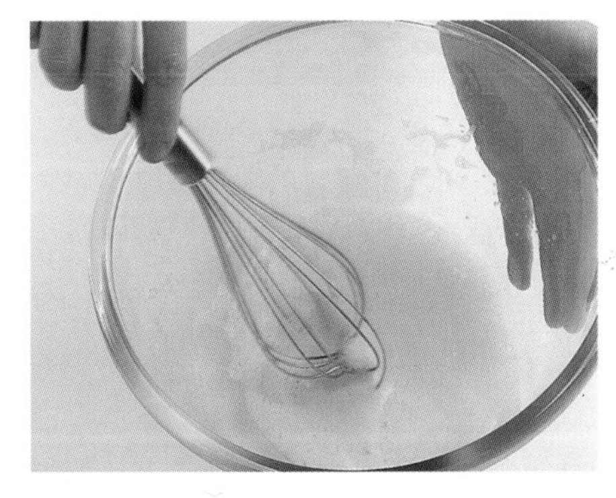

4 Fouettez les blancs d'œufs en neige ferme. Incorporez d'abord une petite quantité de blancs en neige dans le mélange précédent pour le rendre moins compact, puis poursuivez délicatement avec le reste.

5 Beurrez 4 grands ramequins. Répartissez la préparation dans les ramequins et faites cuire 10 min au four. Retirez du four et laissez refroidir.

6 Démoulez les soufflés en retournant les ramequins sur une plaque à pâtisserie et parsemez du reste de fromage râpé. Faites cuire encore 5 min au four et servez avec les feuilles de salade.

POMMES DE TERRE NOUVELLES AUX ŒUFS DE LUMP ET AU FROMAGE BLANC

Ces petites bouchées, parfaites pour un buffet, mettent en valeur la chair à la fois ferme et fondante des pommes de terre nouvelles.

Pour 30 pommes de terre

INGRÉDIENTS
- 30 petites pommes de terre nouvelles
- 1 pot d'œufs de lump
- 200 g de fromage blanc au lait entier
- 1 cuil. à soupe de persil frais haché
- 1 pot d'œufs de saumon
- sel et poivre noir du moulin
- brins d'aneth, en garniture

VARIANTE

Si vous n'avez pas d'œufs de lump, remplacez-les par des lamelles de saumon fumé.

1 Faites cuire les pommes de terre 20 min à l'eau bouillante salée, ou jusqu'à ce qu'elles soient tendres. Égouttez dans une passoire, puis coupez les 2 extrémités de chaque pomme de terre.

2 Battez le fromage blanc avec le persil et assaisonnez. Mettez un peu de ce mélange sur chaque pomme de terre posée debout, puis couronnez d'œufs de lump et de saumon. Garnissez d'aneth.

BLINIS DE POMMES DE TERRE AU SAUMON

Ces petites crêpes légères et croustillantes [illegible] originaires de Russie, où on les sert avec du caviar, mais vous pouvez remplacer ce dernier pa[illegible]élange donné dans la recette ci-dessus.

Pour 6 personnes

INGRÉDIENTS
- 125 g de pommes de terre de conservation, bouillies et écrasées en purée
- 1 cuil. à soupe de levure de boulanger
- 175 g de farine
- 30 cl d'eau chaude
- huile pour graisser la poêle
- 6 cuil. à soupe de crème fraîche acidulée avec un jus de citron
- 6 tranches de saumon fumé
- sel et poivre noir du moulin
- rondelles de citron, en garniture

CONSEIL

Ces blinis peuvent facilement être préparés à l'avance et gardés au réfrigérateur jusqu'à usage. Il suffit ensuite de les réchauffer à four doux.

1 Dans une grande jatte, mélangez les pommes de terre avec la levure, la farine et l'eau chaude.

2 Laissez gonfler 30 min dans un endroit chaud, jusqu'à ce que le mélange ait doublé de volume.

3 Chauffez une poêle antiadhésive avec un peu d'huile. Posez des cuillerées à soupe du mélange dans la poêle. Faites cuire les blinis 2 min, le dessous doit être légèrement doré. Retournez à la spatule et faites cuire l'autre face. Avant de servir, assaisonnez à votre goût.

4 Servez les blinis avec de la crème acidulée et 1 petite tranche de saumon fumé repliée et posée sur le dessus. Garnissez de poivre noir et d'1 rondelle de citron.

BROCHETTES DE POMMES DE TERRE, SAUCE MOUTARDE

Les pommes de terre cuites au barbecue sont croustillantes et délicieuses. Essayez ces excellentes brochettes, servies avec une épaisse sauce à l'ail.

Pour 4 personnes

INGRÉDIENTS

- 1 kg de petites pommes de terre nouvelles
- 200 g d'échalotes coupées en deux
- 2 cuil. à soupe d'huile d'olive
- 1 cuil. à soupe de sel marin

Pour la sauce

- 4 gousses d'ail écrasées
- 2 jaunes d'œufs
- 2 cuil. à soupe de jus de citron
- 30 cl d'huile d'olive vierge extra
- 2 cuil. à café de moutarde à l'ancienne
- sel et poivre noir du moulin

1 Avant de commencer, préparez le barbecue. Pour la sauce, mettez l'ail, les jaunes d'œufs et le jus de citron dans le bol d'un mixer équipé avec un couteau en métal et actionnez quelques secondes pour obtenir un mélange lisse.

2 Laissez tourner le mixer et ajoutez l'huile très lentement, en la versant en mince filet, jusqu'à ce que la mayonnaise se forme. Ajoutez la moutarde et mélangez, puis assaisonnez de sel et de poivre. Mettez au frais.

CONSEIL

Les pommes de terre nouvelles et les pommes de terre à salade sont assez fermes pour rester sur la brochette. N'essayez pas d'autres sortes de petites pommes de terre, qui se fendraient ou se déferaient des brochettes pendant la cuisson.

3 Faites cuire à demi les pommes de terre à l'eau bouillante, dans leur peau. Égouttez, puis enfilez sur des brochettes en métal, en alternant avec les échalotes.

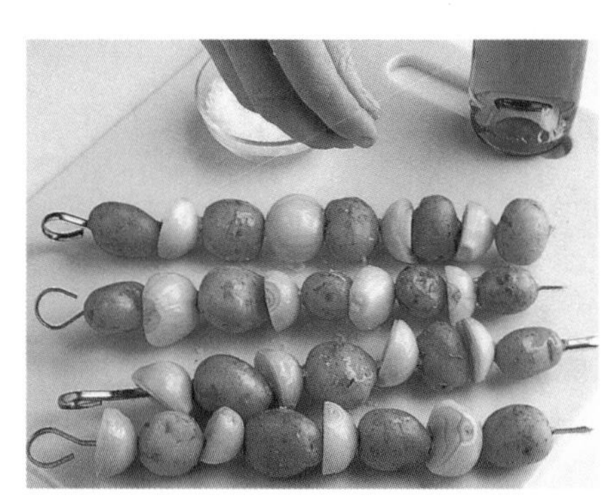

4 Passez un peu d'huile sur les brochettes et saupoudrez de sel. Faites cuire 10 à 12 min au barbecue, en les retournant de temps à autre. Servez avec la sauce.

PELURES DE POMMES DE TERRE, SAUCE ACADIENNE

Croustillantes et originales, ces pelures de pommes de terre sont exquises telles quelles ou avec cette sauce piquante servie en garniture ou à part.

Pour 2 personnes

INGRÉDIENTS

- 2 grosses pommes de terre pour cuisson au four
- huile végétale pour friture

Pour la sauce

- 12 cl de yaourt nature
- 1 gousse d'ail écrasée
- 1 cuil. à café de concentré de tomates
- 1/2 cuil. à café de purée de piment vert ou 1/2 petit piment vert haché
- 2 pincées de sel de céleri
- sel et poivre noir du moulin

CONSEIL

Pour gagner du temps, vous pouvez faire cuire les pommes de terre au four à micro-ondes, ce qui prend environ 10 min.

1 Préchauffez le four à 180 °C (th. 6). Faites cuire les pommes de terre 45 à 50 min. Coupez-les en deux et retirez la pulpe en laissant une mince épaisseur sur la peau. Gardez la pulpe pour un autre plat.

2 Mélangez tous les ingrédients de la sauce.

3 Chauffez 1 cm d'huile dans une grande poêle ou une sauteuse. Coupez chaque demi-pelure en deux et faites-les frire jusqu'à ce qu'elles soient croustillantes et dorées. Égouttez sur du papier absorbant, poudrez de sel et de poivre noir et servez avec la sauce, en saucière ou sur chaque pelure.

POMMES DE TERRE NOUVELLES FRITES ET AÏOLI AU SAFRAN

Servez ces petites pommes de terre croustillantes et dorées avec une mayonnaise aillée, et vous les verrez disparaître en quelques minutes.

Pour 4 personnes

INGRÉDIENTS

- 10 petites pommes de terre nouvelles
- 1 jaune d'œuf
- 1/2 cuil. à café de moutarde de Dijon
- 30 cl d'huile d'olive vierge extra
- 1 à 2 cuil. à soupe de jus de citron
- 1 gousse d'ail écrasée
- 1/2 cuil. à café de filaments de safran
- huile végétale pour friture
- sel et poivre noir du moulin

1 Pour l'aïoli, mettez le jaune d'œuf dans une jatte avec la moutarde et 1 pincée de sel. Mélangez. Incorporez l'huile d'olive très lentement, goutte à goutte, puis en mince filet. Ajoutez le jus de citron.

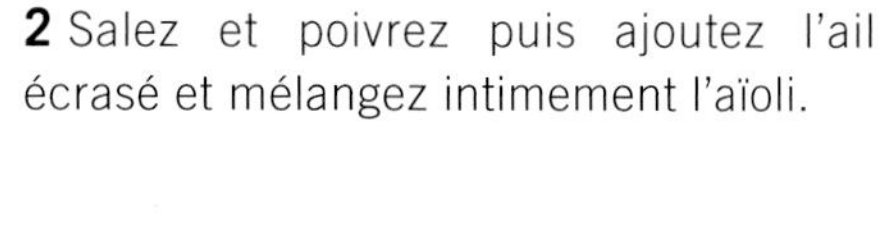

2 Salez et poivrez puis ajoutez l'ail écrasé et mélangez intimement l'aïoli.

3 Mettez le safran dans un petit bol et ajoutez 2 cuillerées à café d'eau bouillante. Pressez le safran avec le dos d'une cuillère pour en extraire la couleur et le parfum, et laissez infuser 5 min. Incorporez le safran et le liquide dans l'aïoli.

4 Faites cuire 5 min les pommes de terre dans leur peau, à l'eau bouillante salée, puis ôtez du feu. Couvrez la casserole et laissez reposer 15 min. Égouttez les pommes de terre et séchez-les bien dans un torchon.

5 Chauffez 1 cm d'huile végétale dans une sauteuse. Quand l'huile est très chaude, ajoutez les pommes de terre et faites-les frire rapidement, elles doivent être croustillantes et dorées. Égouttez sur du papier absorbant et servez chaud avec l'aïoli safrané.

MINI-POMMES DE TERRE AU BLEU DE BRESSE AU FOUR

Elles sont parfaites pour un buffet, et vous pouvez les préparer à l'avance.

Pour 20 pommes de terre

INGRÉDIENTS

- 20 petites pommes de terre nouvelles
- 30 g de bleu de Bresse émietté
- 4 cuil. à soupe d'huile végétale
- gros sel
- 12 cl de crème fraîche acidulée avec un jus de citron
- 2 cuil. à soupe de ciboulette fraîche ciselée, en garniture

CONSEIL

Ce plat est parfait pour un déjeuner léger. Vous pouvez aussi utiliser de grosses pommes de terre ordinaires.

1 Préchauffez le four à 180 °C (th. 6). Lavez et séchez les pommes de terre. Versez l'huile dans une jatte et tournez les pommes de terre dans l'huile.

2 Passez les pommes de terre dans le gros sel pour les enrober légèrement. Étalez-les sur une plaque à pâtisserie. Faites cuire 45 à 50 min au four, elles doivent être tendres.

3 Dans un petit bol, mélangez la crème citronnée et le bleu de Bresse.

4 Incisez en croix le dessus de chaque pomme de terre. Appuyez légèrement pour ouvrir les pommes de terre.

5 Posez sur l'incision la valeur d'1 noisette du mélange de fromage, qui va fondre dans la pomme de terre. Parsemez de ciboulette et servez chaud ou à température ambiante.

CHIPS DE PATATES DOUCES

Ces patates roses font d'excellentes chips sucrées ou salées, à la saveur fruitée originale.

Pour 4 personnes

INGRÉDIENTS

2 patates douces moyennes
huile végétale pour friture
sel

CONSEIL

Les chips de patates douces sont délicieuses chaudes mais si vous ne mangez pas tout, régalez-vous le lendemain, elles sont tout aussi bonnes froides, servies avec une sauce sucrée ou salée.

VARIANTE

Pour une version sucrée, saupoudrez les pommes de terre de cannelle et de sucre en poudre, puis mélangez quand sont encore chaudes.

1 Épluchez les patates douces sous l'eau froide. Coupez-les en tranches de 3 mm d'épaisseur avec un couteau aiguisé ou une râpe à émincer, et mettez-les dans une jatte d'eau froide salée.

2 Chauffez 1 cm d'huile dans une sauteuse. Pendant que l'huile chauffe, égouttez les tranches et séchez-les sur du papier absorbant.

3 Faites frire par petites quantités, puis égouttez sur du papier absorbant. Parsemez les chips de sel et servez-les chaudes.

CRÊPES INDIENNES AUX POMMES DE TERRE

Bien qu'elles s'appellent crêpes, ces préparations croustillantes ressemblent plutôt à des röstis. Elles forment une parfaite entrée à servir avant un curry.

Pour 10 crêpes

INGRÉDIENTS

300 g de pommes de terre râpées
1 cuil. à café et 1/2 de *garam masala* ou de curry en poudre
4 ciboules finement hachées
le blanc d'1 gros œuf, légèrement battu
2 cuil. à soupe d'huile végétale
sel et poivre noir du moulin
chutney, en accompagnement

CONSEIL

Ne râpez pas les pommes de terre à l'avance, elles noirciraient rapidement.

1 Pressez les pommes de terre râpées entre vos mains pour en extraire l'eau, séchez sur du papier absorbant.

2 Mettez les pommes de terre râpées et séchées dans une jatte, puis ajoutez les épices, les ciboules, le blanc d'œuf et l'assaisonnement. Mélangez.

3 Chauffez une poêle antiadhésive à feu modéré et ajoutez l'huile.

4 Posez des cuillerées à soupe de la préparation dans la poêle et aplatissez avec une spatule (faites cuire le tout en deux fois).

5 Laissez cuire quelques minutes, puis retournez chaque crêpe. Laissez cuire encore 3 min.

6 Égouttez sur du papier absorbant et servez les crêpes avec du chutney.

PIZZA DE POMMES DE TERRE

Cette « pizza » de purée de pommes de terre, fourrée d'une robuste garniture d'anchois, de câpres et de tomates, est une spécialité de Puglia, en Italie du Nord.

Pour 4 personnes

INGRÉDIENTS

- 1 kg de pommes de terre farineuses
- 12 cl d'huile d'olive vierge extra
- 2 gousses d'ail finement hachées
- 350 g de tomates hachées
- 3 filets d'anchois hachés
- 2 cuil. à soupe de câpres rincées
- sel et poivre noir du moulin

1 Faites cuire les pommes de terre dans leur peau à l'eau bouillante. Égouttez-les bien et laissez-les légèrement refroidir. Épluchez-les et réduisez la pulpe en purée. Incorporez au fouet 3 cuillerées à soupe d'huile et assaisonnez à votre goût. Réservez.

2 Faites chauffer 3 cuillerées à soupe d'huile dans une casserole moyenne. Ajoutez l'ail et les tomates hachées et laissez cuire à feu modéré 12 à 15 min, en remuant un peu pour que la cuisson soit uniforme, jusqu'à ce que les tomates s'assouplissent et commencent à sécher. Préchauffez le four à 200 °C (th. 7).

3 Huilez un plat à four rond. Étalez uniformément la moitié de la purée dans le plat. Recouvrez de tomates et parsemez d'anchois et de câpres.

4 Recouvrez avec le reste de la purée, en une couche uniforme. Passez le reste de l'huile au pinceau sur la purée et faites cuire 20 à 25 min au four, jusqu'à ce que le dessus soit doré. Parsemez de poivre noir et servez la pizza brûlante.

VARIANTE

Pour une pizza végétarienne, il suffit de remplacer les anchois par quelques olives dénoyautées et hachées. Ajoutez-les à l'étape 3, sur les tomates.

RISSOLES DE PATATE DOUCE ÉPICÉES

Une patate douce à la saveur subtile, relevée de différentes épices, forme une farce originale pour ces excellentes rissoles.

Pour 4 personnes

INGRÉDIENTS

Pour la pâte

- 1 cuil. à soupe d'huile d'olive
- 1 petit œuf
- 15 cl de yaourt nature
- 120 g de beurre fondu
- 275 g de farine
- 2 pincées de bicarbonate de soude
- 2 cuil. à café de paprika
- 1 cuil. à café de sel
- œuf battu, pour dorer

Pour la farce

- 1 patate douce d'environ 250 g
- 2 cuil. à soupe d'huile végétale
- 2 échalotes finement hachées
- 2 cuil. à café de graines de coriandre écrasées
- 1 cuil. à café de cumin en poudre
- 1 cuil. à café de *garam masala*
- 125 g de petits pois surgelés, décongelés
- 1 cuil. à soupe de menthe fraîche hachée
- sel et poivre noir du moulin
- brins de menthe, en garniture

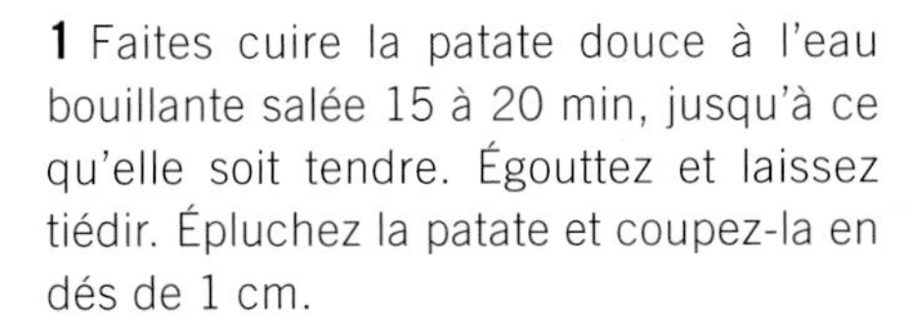

1 Faites cuire la patate douce à l'eau bouillante salée 15 à 20 min, jusqu'à ce qu'elle soit tendre. Égouttez et laissez tiédir. Épluchez la patate et coupez-la en dés de 1 cm.

2 Chauffez l'huile dans une poêle, mettez les échalotes et laissez-les fondre. Mettez les dés de patate douce à cuire jusqu'à ce qu'ils soient dorés. Incorporez les épices et laissez revenir quelques secondes, en remuant. Retirez la poêle du feu et ajoutez les pois, la menthe et l'assaisonnement. Laissez refroidir.

3 Préchauffez le four à 200 °C (th. 7). Graissez une plaque à pâtisserie. Pour faire la pâte, mélangez l'huile avec l'œuf et le yaourt puis ajoutez le beurre fondu. Tamisez la farine avec le bicarbonate, le paprika et le sel dans une jatte, puis incorporez dans le mélange de yaourt pour former une pâte souple. Versez sur la table et pétrissez légèrement. Étalez la pâte et découpez des ronds.

4 Posez 2 cuillerées à café de farce sur une moitié de chaque rond, repliez l'autre moitié par-dessus et soudez les bords.

5 Reformez une boule avec les restes de pâte, étalez, et découpez d'autres ronds.

6 Disposez les rissoles sur la plaque préparée et dorez le dessus à l'œuf battu. Faites cuire 20 min au four, jusqu'à ce qu'elles soient croustillantes et dorées. Servez-les chaudes, garnies de brins de menthe.

CROQUETTES DE POMMES DE TERRE ET D'AGNEAU

Ces croquettes d'agneau haché peuvent être servies chaudes pour un buffet, ou froides pour un déjeuner rapide ou un pique-nique.

Pour 12 à 15 croquettes

INGRÉDIENTS

- 450 g de petites pommes de terre nouvelles ou à chair ferme
- 450 g d'agneau maigre finement haché
- 3 œufs
- 1 oignon râpé
- 2 cuil. à soupe de persil frais haché
- 120 g de chapelure
- huile végétale pour la friture
- sel et poivre noir du moulin
- feuilles de menthe, en garniture
- pain *pita* et salade, en accompagnement

1 Faites cuire les pommes de terre dans une grande casserole d'eau bouillante salée, 20 min, jusqu'à ce qu'elles soient tendres. Égouttez-les et laissez refroidir. Battez les œufs dans une jatte. Ajoutez l'oignon, le persil et l'assaisonnement, puis mélangez.

2 Quand les pommes de terre sont froides, râpez-les grossièrement et incorporez-les dans le mélange précédent, avec l'agneau haché. Pétrissez 3 à 4 min pour que le tout soit intimement mélangé.

3 Formez une boule avec une poignée du mélange. Faites de même avec le reste de la préparation. Roulez les boules dans la chapelure, puis donnez-leur la forme de triangles d'environ 13 cm de long. Enrobez les deux côtés de chapelure.

4 Faites chauffer 1 cm d'huile dans une sauteuse, à feu modéré. Quand l'huile est très chaude, faites frire les triangles de pommes de terre 8 à 12 min, ils doivent être dorés des deux côtés. Égouttez sur du papier absorbant. Servez les croquettes chaudes, garnies de menthe et accompagnées de pain *pita* et de salade.

GÂTEAU DE POMMES DE TERRE DE L'IDAHO

Ce plat est constitué de plusieurs couches de pommes de terre alternées avec des herbes et du fromage. À la cuisson, les parfums se développent et se mélangent intimement.

Pour 4 personnes

INGRÉDIENTS

- 3 grosses pommes de terre
- beurre, pour graisser le moule
- 1 petit oignon finement émincé en anneaux
- 200 g de cheddar vieux ou de cantal, râpé
- brins de thym frais
- 15 cl de crème liquide
- sel et poivre noir du moulin
- feuilles de salade, en accompagnement

1 Préchauffez le four à 200 °C (th. 7). Pelez les pommes de terre et faites-les cuire à l'eau bouillante 10 min, elles doivent juste commencer à s'attendrir. Retirez de l'eau et séchez.

2 Émincez finement les pommes de terre, à l'aide d'une mandoline ou de la lame droite d'une râpe. Graissez la base et les côtés d'un moule à gâteau de 18 cm de diamètre et couvrez le fond d'une partie des pommes de terre. Assaisonnez.

3 Éparpillez de l'oignon sur les pommes de terre, saupoudrez de fromage et parsemez de thym. Continuez ainsi (pommes de terre, oignon, fromage) jusqu'à épuisement des ingrédients, en terminant par le fromage et l'assaisonnement.

4 Appuyez sur le tout (le gâteau peut sembler épais, mais il va se tasser à la cuisson).

5 Versez la crème liquide sur le gâteau et faites-le cuire au four 35 à 45 min. Retirez du four et laissez refroidir. Retournez sur un plat et coupez en tranches. Servez le gâteau de pommes de terre avec quelques feuilles de salade.

VARIANTE

Si vous voulez rendre ce gâteau plus substantiel, couronnez chaque portion d'I tranche de lard grillé ou de poivrons rouges grillés.

POLPETTES

Délicieuses petites bouchées frites de pommes de terre et de feta grecque, parfumées d'aneth et de jus de citron. Servez-les en hors-d'œuvre ou pour accompagner l'apéritif.

Pour 4 personnes

INGRÉDIENTS

- 500 g de pommes de terre farineuses
- 120 g de feta
- 4 ciboules hachées
- 3 cuil. à soupe d'aneth frais haché
- 1 œuf battu
- 1 cuil. à soupe de jus de citron
- sel et poivre noir du moulin
- farine pour fariner les polpettes
- 3 cuil. à soupe d'huile d'olive
- brins d'aneth et ciboules ciselées, en garniture
- quartiers de citron, en accompagnement

1 Faites cuire les pommes de terre dans leur peau, à l'eau bouillante légèrement salée. Égouttez et laissez tiédir, puis coupez-les en deux et pelez-les pendant qu'elles sont encore chaudes.

2 Mettez dans une jatte et écrasez en purée. Émiettez la feta dans les pommes de terre, puis ajoutez les ciboules, l'aneth, l'œuf et le jus de citron, du sel et du poivre (le fromage étant salé, goûtez avant de saler). Mélangez bien.

3 Couvrez et laissez s'affermir au frais. Séparez le mélange en boules de la taille d'1 noix que vous aplatirez légèrement. Farinez et secouez.

4 Chauffez l'huile dans la poêle et faites cuire les polpettes en plusieurs fois. Égouttez sur du papier absorbant et servez-les chaudes, garnies de ciboules, d'aneth et de quartiers de citron.

BOUCHÉES SALÉES DE POMMES DE TERRE

Dorées et croustillantes mais moelleuses à l'intérieur, ces bouchées de pommes de terre sont bonnes au déjeuner comme au dîner ou, pourquoi pas, au petit déjeuner.

Pour 4 personnes

INGRÉDIENTS

- 450 g de pommes de terre à chair ferme
- 1 petit oignon râpé
- 4 tranches de lard fumé finement haché
- 2 cuil. à soupe de farine avec levain incorporé
- 2 œufs battus
- huile végétale pour friture
- sel et poivre noir du moulin
- persil, en garniture

VARIANTE

Pour les végétariens, remplacez le lard par du poivron rouge.

1 Râpez grossièrement les pommes de terre, rincez, égouttez, séchez. Mélangez avec l'oignon, la moitié du lard, la farine et les œufs, sel et poivre.

2 Chauffez 1 cm d'huile dans une poêle jusqu'à ce qu'elle soit très chaude, puis déposez 1 cuillerée à soupe du mélange précédent et appuyez dessus rapidement avec le dos d'une cuillère pour l'étaler, mais sans le défaire.

3 Continuez à poser des bouchées dans l'huile, en laissant assez d'espace entre chaque bouchée pour qu'elles n'adhèrent pas. Faites frire 4 à 5 min, le dessous doit être bien doré.

4 Retournez les bouchées et faites frire l'autre côté. Égouttez sur du papier absorbant et gardez au chaud dans le four pendant que vous faites frire le reste. Faites frire le reste du lard et le persil et éparpillez sur les bouchées chaudes.

Salades

Les pommes de terre chaudes ou froides sont délicieuses en salade. Apportez-leur des couleurs avec de la betterave cuite ou des radis émincés. Ou essayez les patates douces, cuites au four, puis assaisonnées d'une sauce à la coriandre et au citron vert, association parfaite de saveurs aromatiques et rafraîchissantes.

SALADE DE POMMES DE TERRE MOUTARDÉE

Si vous aimez le goût piquant de la moutarde, cette salade est pour vous. Elle est également parfumée d'estragon que l'on retrouve dans la sauce et dans la garniture.

Pour 8 personnes

INGRÉDIENTS

- 1,5 kg de petites pommes de terre nouvelles ou à salade
- 2 cuil. à soupe de vinaigre de vin blanc
- 1 cuil. à soupe de moutarde de Dijon
- 3 cuil. à soupe d'huile d'olive
- 6 cuil. à soupe d'oignon rouge haché
- 12 cl de mayonnaise
- 2 cuil. à soupe d'estragon frais haché ou 1 cuil. à café et 1/2 d'estragon séché
- 1 côte de céleri finement émincée
- sel et poivre noir du moulin
- feuilles de céleri et feuilles d'estragon, en garniture

VARIANTE

Si vous en trouvez, prenez des petites pommes de terre rouges ou même bleues pour donner une jolie couleur à la salade.

1 Faites cuire les pommes de terre dans leur peau, à l'eau bouillante salée, 15 à 20 min. Égouttez.

2 Mélangez le vinaigre et la moutarde et incorporez lentement l'huile au fouet.

3 Quand les pommes de terre sont tièdes, émincez-les dans un grand saladier.

4 Ajoutez l'oignon aux pommes de terre et arrosez de sauce. Assaisonnez et mélangez délicatement. Laissez reposer au moins 30 min.

5 Incorporez l'estragon dans la mayonnaise. Ajoutez-la aux pommes de terre avec le céleri et mélangez. Servez la salade garnie de feuilles de céleri et d'estragon.

SALADE DE POMMES DE TERRE TOULOUSAINE

Les saucisses goûteuses et les pommes de terre fermes coupées en gros morceaux, simplement tournées dans une vinaigrette, forment un plat complet délicieux pour le déjeuner.

Pour 4 personnes

INGRÉDIENTS

- 500 g de petites pommes de terre à chair ferme ou à salade
- 2 à 3 cuil. à soupe de vin blanc sec
- 2 échalotes finement hachées
- 1 cuil. à soupe de persil frais haché
- 1 cuil. à soupe d'estragon frais haché
- 200 g de saucisse de Toulouse ou de saucisse à l'ail, cuite
- persil frais haché, en garniture

Pour la vinaigrette

- 2 cuil. à café de moutarde de Dijon
- 1 cuil. à soupe de vinaigre d'estragon ou de vin blanc
- 5 cuil. à soupe d'huile d'olive vierge extra
- sel et poivre noir du moulin

1 Faites cuire les pommes de terre dans leur peau, à l'eau bouillante salée, 10 à 12 min, elles doivent être tendres.

2 Égouttez, rincez à l'eau froide et égouttez à nouveau.

3 Pelez ou non les pommes de terre, à votre goût, et coupez-les en tranches de 5 mm. Mettez-les dans un grand saladier, arrosez de vin et parsemez d'échalotes.

4 Pour la vinaigrette, mélangez la moutarde et le vinaigre dans un petit bol, et ajoutez lentement l'huile au fouet. Assaisonnez et versez sur les pommes de terre.

5 Ajoutez les herbes hachées aux pommes de terre et mélangez bien.

6 Émincez la saucisse et mélangez avec les pommes de terre. Assaisonnez et servez la salade garnie de persil.

SALADE DE POMMES DE TERRE AUX HERBES

Mélangez les pommes de terre avec la sauce quand elles sont encore chaudes, pour qu'elles s'en imprègnent plus facilement. Servez cette salade avec du porc grillé, des côtes d'agneau ou du poulet rôti.

Pour 4 à 6 personnes

INGRÉDIENTS

- 700 g de petites pommes de terre nouvelles ou à chair ferme
- 4 ciboules
- 3 cuil. à soupe d'huile d'olive
- 1 cuil. à soupe de vinaigre de vin blanc
- 20 cl de bonne mayonnaise, faite maison de préférence
- 3 cuil. à soupe de ciboulette ciselée
- sel et poivre noir du moulin

1 Faites cuire les pommes de terre dans leur peau à l'eau bouillante salée, jusqu'à ce qu'elles soient tendres.

2 Pendant ce temps, hachez finement le blanc des ciboules et un peu de leur vert. Coupez-les en diagonale, elles seront plus appétissantes. Réservez.

3 Fouettez l'huile et le vinaigre ensemble. Égouttez les pommes de terre et mettez-les dans un grand saladier, puis mélangez-les aussitôt avec la vinaigrette et les ciboules. Laissez refroidir.

4 Incorporez la mayonnaise et la ciboulette aux pommes de terre, salez et poivrez, puis mettez au frais. Vérifiez l'assaisonnement avant de servir la salade.

SALADE DE POMMES DE TERRE ET DE RADIS

Les radis ajoutent leur croquant et leur goût poivré à cette salade aromatisée au miel. La plupart des salades de pommes de terre sont assaisonnées d'une sauce épaisse. Celle-ci, au contraire, est légère et colorée et agrémentée d'une vinaigrette au parfum subtil.

Pour 4 à 6 personnes

INGRÉDIENTS

- 500 g de pommes de terre nouvelles
- 6 à 8 radis environ, émincés finement
- 3 cuil. à soupe d'huile d'olive
- 1 cuil. à soupe d'huile de noix ou de noisette (facultatif)
- 2 cuil. à soupe de vinaigre de vin
- 2 cuil. à café de moutarde à l'ancienne
- 1 cuil. à café de miel
- 2 cuil. à soupe de ciboulette ciselée
- sel et poivre noir du moulin

CONSEIL

Pour une jolie présentation, servez sur un plat tapissé de feuilles de laitue frisée.

VARIANTE

Vous pouvez remplacer les radis par des côtes de céleri émincées, de l'oignon rouge coupé en dés et/ou des noix hachées.

1 Faites cuire les pommes de terre dans leur peau à l'eau bouillante salée, jusqu'à ce qu'elles soient tendres. Égouttez-les dans une passoire et laissez-les tiédir. Coupez les pommes de terre en deux, mais laissez les petites entières. Mettez les pommes de terre dans un grand saladier.

2 Pour préparer la vinaigrette, mélangez intimement les huiles, le vinaigre, la moutarde, le miel et l'assaisonnement dans un bol.

3 Versez la vinaigrette sur les pommes de terre pendant qu'elles sont encore tièdes et laissez reposer 1 h environ, pour que les arômes se mélangent.

4 Pour finir, ajoutez les radis et la ciboulette ciselée, mélangez, puis mettez au réfrigérateur.

5 Au moment de servir, mélangez à nouveau la salade, pour bien répartir la vinaigrette et vérifiez l'assaisonnement.

SALADE ACADIENNE DE POMMES DE TERRE PIMENTÉE

Dans le pays acadien, d'où vient le tabasco, pimenté veut dire vraiment pimenté, et il est peut-être plus prudent de goûter avec précaution cette salade !

Pour 6 à 8 personnes

INGRÉDIENTS

- 8 pommes de terre à chair ferme
- 1 poivron vert épépiné et coupé en dés
- 1 gros cornichon haché
- 4 ciboules émincées
- 3 œufs durs écalés et hachés
- 25 cl de mayonnaise
- 1 cuil. à soupe de moutarde de Dijon
- sel et poivre noir du moulin
- sauce tabasco, à votre goût
- 1 à 2 pincées de poivre de Cayenne
- cornichon émincé, en garniture
- mayonnaise, en accompagnement

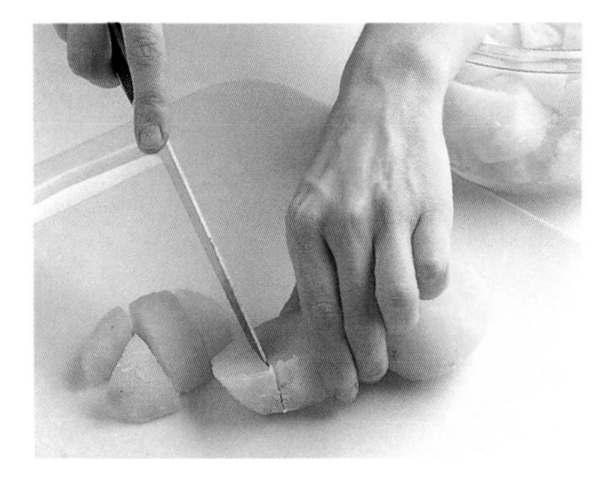

1 Faites cuire les pommes de terre dans leur peau à l'eau bouillante salée jusqu'à ce qu'elles soient tendres. Égouttez et laissez tiédir. Pelez-les et coupez-les en gros morceaux.

2 Mettez les pommes de terre dans un grand saladier et ajoutez le poivron vert, le cornichon, les ciboules et les œufs durs. Mélangez délicatement.

3 Dans un bol, mélangez la mayonnaise avec la moutarde et assaisonnez à votre goût de sel, de poivre noir et de tabasco.

4 Mélangez la sauce avec les pommes de terre et ajoutez du poivre de Cayenne. Servez de la mayonnaise à part et garnissez la salade de cornichons émincés.

SALADE DE POMMES DE TERRE CARAÏBE

Des légumes colorés dans une sauce lisse et crémeuse donnent une salade piquante, parfaite servie telle quelle ou pour accompagner des viandes froides ou grillées.

Pour 6 personnes

INGRÉDIENTS

- 1 kg de pommes de terre à chair ferme
- 2 poivrons rouges épépinés et coupés en dés
- 2 côtes de céleri finement hachées
- 1 échalote finement hachée
- 2 à 3 ciboules finement hachées
- 1 piment vert frais pas trop fort, épépiné et finement haché
- 1 gousse d'ail écrasée
- 2 cuil. à café de ciboulette ciselée
- 2 cuil. à café de basilic finement haché
- 1 cuil. à soupe de persil finement haché
- 1 cuil. à soupe de crème liquide
- 2 cuil. à soupe de sauce de salade du commerce
- 1 cuil. à soupe de mayonnaise
- 1 cuil. à café de moutarde de Dijon
- 1/2 cuil. à soupe de sucre
- ciboulette ciselée et piment rouge haché, en garniture

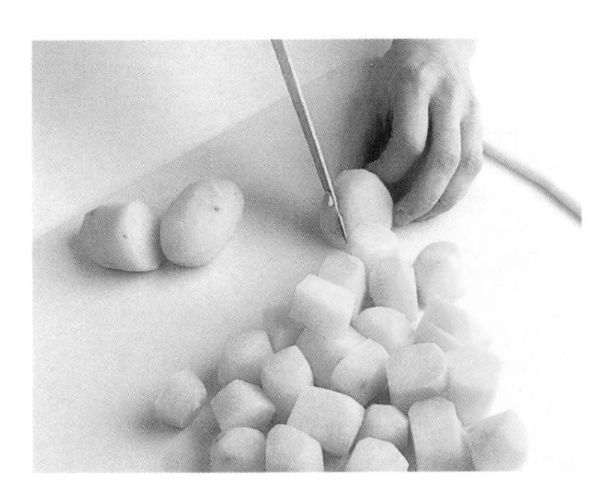

1 Faites cuire les pommes de terre à l'eau bouillante salée jusqu'à ce qu'elles soient tendres mais encore fermes. Égouttez et laissez tiédir. Quand elles sont tièdes, coupez-les en dés de 3 cm et mettez-les dans un grand saladier.

2 Ajoutez tous les légumes aux pommes de terre dans le saladier, avec le piment, l'ail et toutes les herbes hachées.

3 Mélangez la crème liquide avec la sauce de salade, la mayonnaise, la moutarde et le sucre dans un petit bol. Fouettez pour obtenir une sauce bien émulsionnée, lisse et crémeuse.

4 Versez la sauce sur le mélange de pommes de terre et tournez délicatement. Servez la salade garnie de ciboulette ciselée et de piment rouge haché.

SALADE CHAUDE DE POMMES DE TERRE, SAUCE AUX HERBES

Mélangez dès que possible les pommes de terre dans la sauce afin qu'elles s'imprègnent des parfums. Pour une note méditerranéenne, prenez la meilleure huile d'olive vierge.

Pour 6 personnes

INGRÉDIENTS

- 1 kg de pommes de terre à chair ferme
- 2 cuil. à soupe d'herbes fraîches hachées : persil, basilic ou thym
- 6 cuil. à soupe d'huile d'olive vierge extra
- le jus d'1 citron
- 1 gousse d'ail très finement hachée
- sel et poivre noir du moulin
- feuilles de basilic, en garniture

1 Faites cuire les pommes de terre dans leur peau à l'eau bouillante salée ou à la vapeur, jusqu'à ce qu'elles soient tendres.

2 Préparez la sauce. Mélangez intimement l'huile d'olive, le jus de citron, l'ail et les herbes, le sel et le poivre.

3 Égouttez les pommes de terre et laissez tiédir un peu. Quand elles sont assez refroidies pour ne plus vous brûler, pelez-les. Coupez-les en morceaux et mettez-les dans un grand saladier.

4 Versez la sauce sur les pommes de terre pendant qu'elles sont encore chaudes et mélangez bien. Servez la salade aussitôt, garnie de feuilles de basilic et de poivre noir.

SALADE CHAUDE AUX NOISETTES ET AUX PISTACHES

Noisettes et pistaches transforment une salade de pommes de terre ordinaire en un mets original. Cette salade est très bonne avec du rôti de bœuf froid, de la langue ou du jambon, mais vous pouvez la servir telle quelle, comme plat principal léger.

Pour 4 personnes

INGRÉDIENTS

- 1 kg de petites pommes de terre nouvelles ou à chair ferme
- 2 cuil. à soupe d'huile de noisette ou de noix
- 15 pistaches
- 25 g de noisettes
- 4 cuil. à soupe d'huile de tournesol
- le jus d'1 citron
- sel et poivre noir du moulin
- brins de persil plat, en garniture

VARIANTE

Remplacez les noisettes par des noix. Achetez des noix en morceaux, moins chères que des cerneaux entiers, et écrasez-les au rouleau à pâtisserie avant de les mettre dans la salade.

1 Faites cuire les pommes de terre dans leur peau à l'eau bouillante salée, 10 à 15 min, jusqu'à ce qu'elles soient tendres.

2 Égouttez les pommes de terre et laissez tiédir légèrement.

3 Mélangez intimement l'huile de noisette ou de noix avec l'huile de tournesol et le jus de citron. Salez et poivrez.

4 Hachez les noisettes et les pistaches avec un couteau aiguisé.

5 Mettez les pommes de terre refroidies dans un grand saladier et arrosez de sauce. Tournez délicatement.

6 Parsemez la salade de noisettes et de pistaches hachées. Servez-la aussitôt, garnie de persil plat.

SALADE DE POMMES DE TERRE, SAUCE ÉPICÉE À LA MANGUE

Cette salade sucrée et épicée accompagne agréablement les viandes froides.

Pour 4 à 6 personnes

INGRÉDIENTS

- 1 kg de pommes de terre nouvelles, coupées en deux et cuites à l'eau
- 1 cuil. à soupe d'huile d'olive
- 1 oignon émincé en anneaux
- 1 gousse d'ail écrasée
- 1 cuil. à café de cumin en poudre
- 1 cuil. à café de coriandre en poudre
- 1 mangue épluchée, dénoyautée et coupée en dés
- 2 cuil. à soupe de sucre roux
- 2 cuil. à soupe de jus de citron vert
- 1 cuil. à soupe de graines de sésame
- sel et poivre noir du moulin
- feuilles de coriandre frites, en garniture

1 Chauffez l'huile d'olive dans une poêle, puis faites cuire l'oignon et l'ail à feu doux pendant 10 min, jusqu'à ce qu'ils commencent à dorer.

2 Ajoutez le cumin et la coriandre et faites cuire quelques secondes. Incorporez la mangue et le sucre et laissez cuire 5 min, jusqu'à ce que la mangue soit souple. Retirez la poêle du feu et incorporez le jus de citron vert. Assaisonnez.

3 Mettez les pommes de terre dans un grand saladier et ajoutez la sauce à la mangue. Parsemez de graines de sésame et servez pendant que la sauce est encore chaude. Garnissez la salade de feuilles de coriandre.

SALADE DE POMMES DE TERRE AUX CÂPRES ET AUX OLIVES NOIRES

C'est un plat du sud de l'Italie. Le mélange d'olives, de câpres et d'anchois est parfait.

Pour 4 à 6 personnes

INGRÉDIENTS

- 1 kg de grosses pommes de terre à chair blanche
- 2 cuil. à soupe de câpres finement hachées
- 50 g d'olives noires dénoyautées, coupées en deux
- 4 cuil. à soupe de vinaigre de vin blanc
- 5 cuil. à soupe d'huile d'olive
- 2 cuil. à soupe de persil plat haché
- 3 gousses d'ail finement hachées
- 50 g d'anchois à l'huile (non salés)
- sel et poivre noir du moulin

VARIANTE

Pour les végétariens, supprimez les anchois, la salade sera quand même excellente.

1 Faites bouillir les pommes de terre dans leur peau 20 min à l'eau, elles doivent être juste tendres. Retirez de la casserole avec une écumoire et mettez dans un saladier.

2 Quand les pommes de terre ont suffisamment refroidi, pelez-les.

3 Coupez les pommes de terre épluchées en morceaux réguliers et mettez-les dans un plat en faïence.

4 Mélangez le vinaigre avec l'huile, salez et poivrez et ajoutez le persil, les câpres, les olives et l'ail. Mélangez délicatement et versez sur les pommes de terre.

5 Disposez les anchois sur la salade. Couvrez avec un torchon et laissez reposer 30 min environ avant de servir, pour permettre aux parfums d'imprégner les pommes de terre.

SALADE DE PATATES DOUCES AU FOUR

Cette salade aux saveurs exotiques est parfaite pour accompagner des plats asiatiques.

Pour 4 à 6 personnes

INGRÉDIENTS

1 kg de patates douces

Pour la sauce

- 3 cuil. à soupe de coriandre fraîche hachée
- le jus d'1 citron
- 15 cl de yaourt nature

Pour la salade

- 1 poivron rouge, épépiné et coupé en petits dés
- 3 côtes de céleri coupées en petits dés
- 1/4 d'oignon rouge finement haché
- 1 piment rouge finement haché
- sel et poivre noir du moulin
- feuilles de coriandre, en garniture

1 Préchauffez le four à 200 °C (th. 7). Lavez et piquez les patates sur toute leur surface et faites cuire au four 40 min ou jusqu'à ce qu'elles soient tendres.

2 Mélangez les ingrédients de la sauce dans un bol et assaisonnez à votre goût. Mettez au frais pendant que vous préparez le reste des ingrédients.

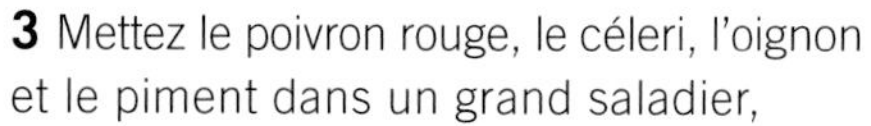

3 Mettez le poivron rouge, le céleri, l'oignon et le piment dans un grand saladier,

4 Sortez les patates du four et, quand elles ont un peu refroidi, pelez-les. Coupez-les en gros dés et mettez-les dans le saladier. Arrosez de sauce et tournez délicatement. Assaisonnez à nouveau à votre goût et servez la salade garnie de coriandre fraîche.

SALADE DE POMMES DE TERRE AU BŒUF MARINÉ

Ce plat doit mariner toute la nuit mais il est ensuite très vite préparé et forme un plat principal substantiel.

Pour 6 personnes

INGRÉDIENTS

- 3 grosses pommes de terre à chair blanche
- 1 kg de faux-filet de bœuf
- 1/2 poivron rouge épépiné et coupé en dés
- 1/2 poivron vert épépiné et coupé en dés
- 1 petit oignon rouge finement haché
- 2 gousses d'ail écrasées
- 4 ciboules émincées en biais
- 1 petite romaine, feuilles déchirées
- sel et poivre noir du moulin
- huile d'olive et copeaux de parmesan, en garniture

Pour la marinade

- 12 cl d'huile d'olive
- 12 cl de vinaigre de vin rouge
- 6 cuil. à soupe de sauce de soja

1 Mettez le bœuf dans une jatte (non métallique). Mélangez les ingrédients de la marinade. Assaisonnez de poivre et versez sur la viande.

2 Couvrez et laissez mariner plusieurs heures ou toute la nuit.

3 Égouttez la viande et séchez-la avec du papier absorbant. Préchauffez une poêle, coupez la viande en tranches minces et faites cuire quelques minutes, pour saisir chaque face, en les laissant légèrement roses. Laissez refroidir.

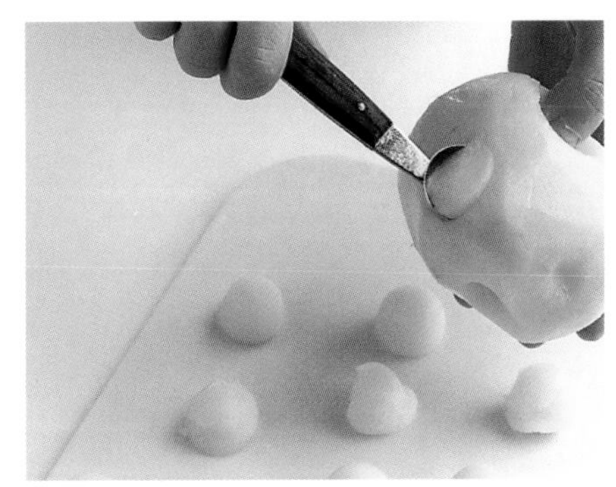

4 Avec une cuillère parisienne, creusez des billes dans les pommes de terre. Faites-les bouillir 5 min à l'eau salée.

5 Égouttez et mettez dans un grand saladier avec le reste des ingrédients. Ajoutez le bœuf. Arrosez la salade d'huile d'olive et garnissez de parmesan.

SALADE DE POMMES DE TERRE AUX ŒUFS DE CAILLE

Les œufs frais et les pommes de terre tendres se marient parfaitement avec le sel de céleri et la saveur poivrée des feuilles de roquette.

Pour 6 personnes

INGRÉDIENTS

1 kg de pommes de terre nouvelles
12 œufs de caille
50 g de beurre
1 cuil. à soupe de ciboulette ciselée
1 pincée de sel de céleri
1 pincée de paprika
quelques feuilles de roquette
sel et poivre noir du moulin
ciboulette ciselée, en garniture

CONSEIL

Vous pouvez acheter de la roquette toute préparée, en sachet, nature ou mélangée avec d'autres feuilles de salade. Elle est facile à cultiver si vous avez un jardin.

1 Faites bouillir les pommes de terre à l'eau salée 20 min, jusqu'à ce qu'elles soient tendres. Pendant ce temps, écrasez le beurre avec la ciboulette, le sel de céleri et le paprika.

2 Pendant que les pommes de terre cuisent, faites bouillir les œufs 3 min. Égouttez et plongez dans l'eau froide. Écalez les œufs sous l'eau froide.

3 Étalez les feuilles de roquette sur des assiettes et posez les œufs dessus. Égouttez les pommes de terre et ajoutez-leur le beurre assaisonné. Mélangez bien pour faire fondre le beurre, puis disposez les pommes de terre sur les assiettes. Garnissez la salade avec un peu de ciboulette.

SALADE DE POMMES DE TERRE ET DE BETTERAVES

Voici une salade aux couleurs vives et à la texture délicate. La saveur sucrée des betteraves forme un parfait contraste avec la sauce piquante.

Pour 4 personnes

INGRÉDIENTS

4 pommes de terre épluchées et coupées en dés
4 betteraves moyennes
1 oignon rouge finement haché
15 cl de yaourt maigre
2 cuil. à café de vinaigre de cidre
2 petits concombres au vinaigre finement hachés
2 cuil. à café de crème de raifort
sel et poivre noir du moulin
brins de persil, en garniture

CONSEIL

Pour gagner du temps, achetez des betteraves déjà cuites. Les petites betteraves sont généralement meilleures et plus fondantes.

1 Faites bouillir les betteraves 40 min dans une grande casserole remplie d'eau, jusqu'à ce qu'elles soient tendres.

2 Faites bouillir les pommes de terre 20 min dans une autre casserole d'eau, jusqu'à ce qu'elles soient tendres.

3 Rincez les betteraves cuites, pelez-les, hachez-les en gros morceaux et mettez dans un saladier. Égouttez les pommes de terre, ajoutez dans le saladier avec les oignons. Mélangez le yaourt maigre, le vinaigre, les concombres et le raifort. Réservez-en un peu pour la garniture et versez le reste sur la salade. Mélangez et servez garni de persil et du reste de sauce.

SALADE ITALIENNE

Le mélange des ingrédients des antipasti *et des pommes de terre rend ce plat très substantiel.*

Pour 6 personnes

INGRÉDIENTS

- 2 grosses pommes de terre coupées en quartiers
- 1 aubergine émincée
- 5 cuil. à soupe d'huile d'olive
- 2 gousses d'ail coupées en lamelles
- 4 tomates séchées au soleil, à l'huile, coupées en deux
- 2 poivrons rouges épépinés et coupés en gros morceaux
- 2 cuil. à café d'herbes provençales séchées
- 2 à 3 cuil. à soupe de vinaigre balsamique
- sel et poivre noir du moulin

1 Préchauffez le four à 200 °C (th. 7). Mettez les tranches d'aubergine dans un plat à four avec l'huile d'olive, l'ail et les tomates. Placez les morceaux de poivrons sur les aubergines.

2 Posez les quartiers de pommes de terre sur les autres ingrédients, dans le plat à four. Parsemez d'herbes et assaisonnez de sel et de poivre. Couvrez le plat avec du papier d'aluminium et faites cuire 45 min au four.

3 Retirez du four et retournez les légumes. Remettez au four et laissez cuire 30 min à découvert. Sortez du four, retirez les légumes avec une écumoire. Fouettez le vinaigre et l'assaisonnement dans un plat, et versez sur les légumes. Garnissez la salade de sel et de poivre noir.

SALADE DE RATTES ROUGES

Une riche sauce moutarde relève la saveur et la couleur de cette salade.

Pour 4 à 6 personnes

INGRÉDIENTS

- 1 kg de rattes rouges
- 5 œufs
- 2 à 3 cuil. à soupe de moutarde de Dijon
- 300 g de mayonnaise
- 3 côtes de céleri finement hachées
- 125 g de lard fumé coupé en lardons
- 2 cuil. à soupe de persil plat haché
- sel et poivre noir du moulin

1 Mettez les œufs dans une casserole d'eau et portez à ébullition. Laissez cuire 5 à 8 min, égouttez et plongez aussitôt les œufs dans un bol d'eau froide.

2 Écalez les œufs et écrasez-en 3 dans un saladier avec une fourchette. Incorporez la moutarde, la mayonnaise, le céleri, du sel et du poivre. Délayez éventuellement avec un peu d'eau. Réservez.

3 Faites sauter les lardons jusqu'à ce qu'ils soient croustillants et versez-en la moitié dans la sauce. Réservez le reste.

4 Faites bouillir les pommes de terre 20 min à l'eau, afin qu'elles soient tendres. Égouttez, laissez refroidir. Mélangez avec la mayonnaise et disposez dans un plat de service. Émincez le reste des œufs et éparpillez-les sur la salade avec le reste des lardons. Parsemez de persil et servez.

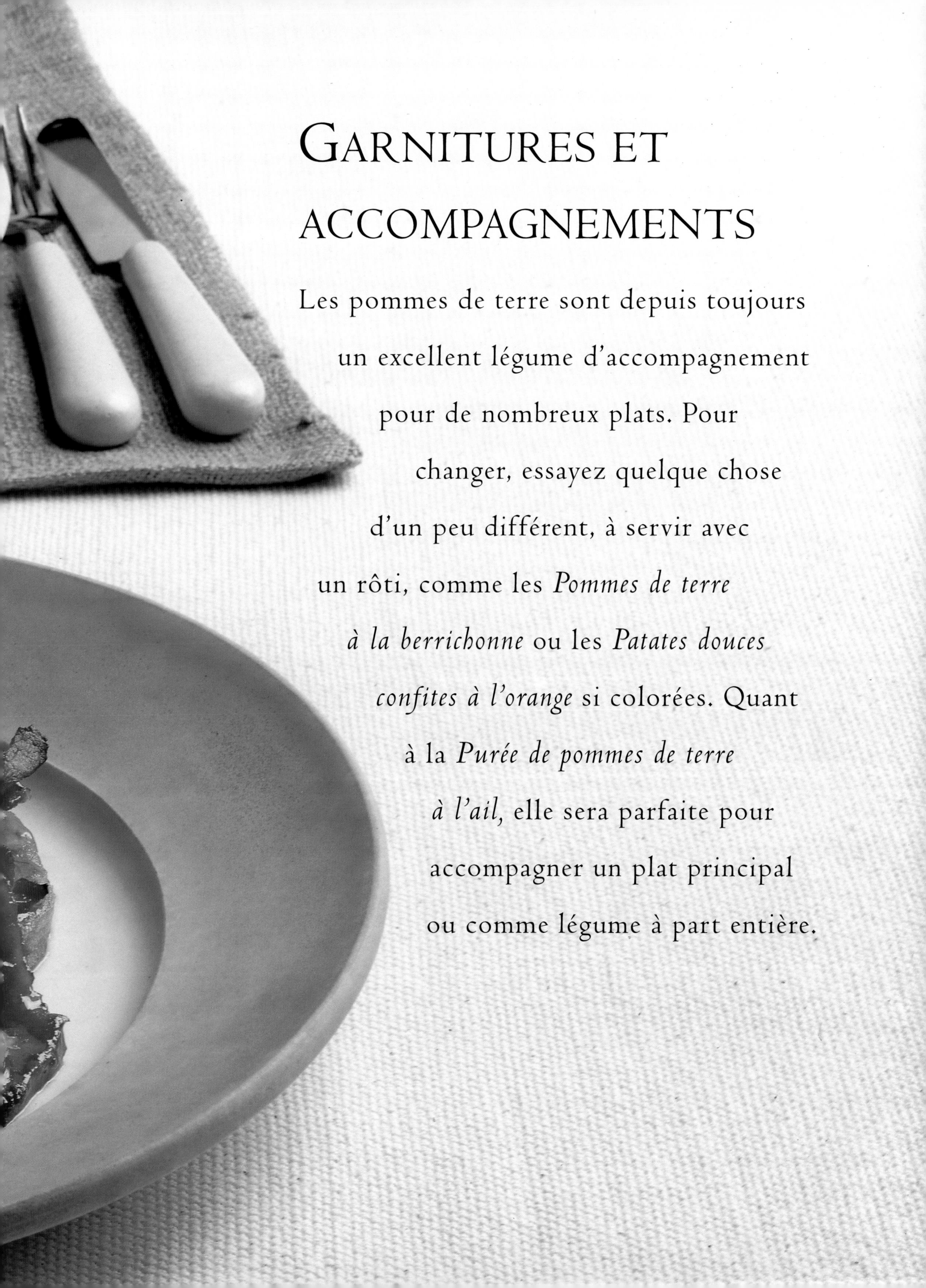

Garnitures et accompagnements

Les pommes de terre sont depuis toujours un excellent légume d'accompagnement pour de nombreux plats. Pour changer, essayez quelque chose d'un peu différent, à servir avec un rôti, comme les *Pommes de terre à la berrichonne* ou les *Patates douces confites à l'orange* si colorées. Quant à la *Purée de pommes de terre à l'ail*, elle sera parfaite pour accompagner un plat principal ou comme légume à part entière.

POMMES DE TERRE MARQUISE

C'est une variante des pommes de terre duchesse. Les nids de purée sont couronnés d'une préparation savoureuse à base de tomates.

Pour 6 personnes

INGRÉDIENTS

- 1 kg de pommes de terre farineuses
- 450 g de tomates bien mûres
- 1 cuil. à soupe d'huile d'olive
- 2 échalotes finement hachées
- 25 g de beurre
- 3 jaunes d'œufs
- 4 cuil. à soupe de lait
- sel de mer et poivre noir du moulin
- persil frais haché, en garniture

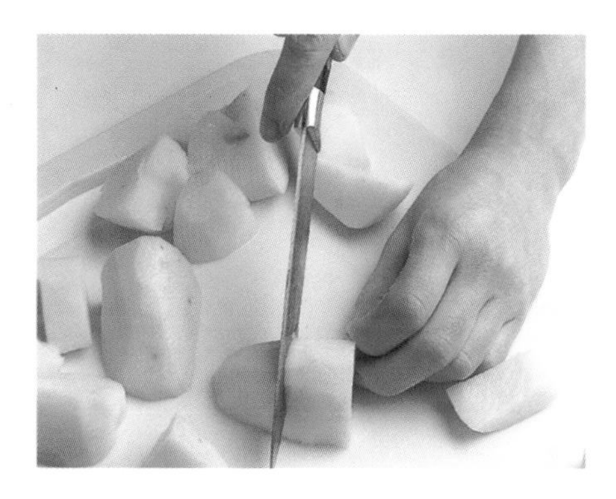

1 Pelez et coupez les pommes de terre en petits morceaux, faites bouillir 20 min à l'eau légèrement salée, ou jusqu'à ce qu'elles soient très tendres. Plongez les tomates dans l'eau bouillante puis dans l'eau froide. Pelez les tomates et épépinez-les. Hachez la pulpe.

2 Chauffez l'huile d'olive dans une grande poêle et faites cuire les échalotes 2 min, en remuant continuellement. Ajoutez les tomates et laissez cuire encore 10 min, pour faire évaporer l'eau. Réservez.

3 Égouttez les pommes de terre dans une passoire, puis remettez-les dans la casserole. Laissez légèrement refroidir et écrasez-les avec le beurre, 2 jaunes d'œufs et le lait. Assaisonnez de sel et de poivre noir du moulin.

4 Graissez une plaque à pâtisserie. Mettez la purée dans une poche à douille équipée d'une douille moyenne en étoile. Posez 6 nids ovales sur la plaque. Battez le dernier jaune d'œuf avec un peu d'eau et passez délicatement au pinceau sur la purée. Faites dorer 5 min sous le gril.

5 Posez le mélange de tomates dans les nids et couronnez d'un peu de persil. Servez aussitôt.

POMMES DE TERRE À LA BERRICHONNE

Voici une excellente spécialité régionale. Les pommes de terre, cuites au bouillon avec des oignons et du lard, sont fondantes et croustillantes à souhait.

Pour 4 personnes

INGRÉDIENTS

- 1 kg de pommes de terre de conservation
- 25 g de beurre
- 1 oignon finement haché
- 125 g de lard gras non fumé, sans couenne
- 35 cl de bouillon de légumes
- sel de mer et poivre noir du moulin
- persil haché, en garniture

1 Préchauffez le four à 200 °C (th. 7). Pelez les pommes de terre et coupez-les en cylindres que vous mettrez au fur et à mesure dans de l'eau froide.

2 Faites fondre le beurre dans une poêle. Ajoutez les oignons, mélangez et couvrez. Laissez cuire 2 à 3 min, pour les attendrir sans les dorer.

3 Hachez le lard et ajoutez aux oignons, couvrez et laissez cuire 2 min.

4 Étalez le mélange d'oignons sur le fond d'un plat à four rectangulaire de 1,5 litre. Posez les pommes de terre sur les oignons et arrosez avec le bouillon, qui doit arriver à mi-hauteur. Assaisonnez et laissez cuire 1 h au four. Garnissez de persil haché.

POMMES DE TERRE BIARRITZ

Association de purée classique, de jambon et de poivrons coupés en petits dés, ce plat est excellent avec du poulet rôti.

Pour 4 personnes

INGRÉDIENTS

1 kg de pommes de terre farineuses
50 g de beurre
6 cuil. à soupe de lait
50 g de jambon cuit, coupé en petits dés
1 poivron rouge, épépiné et coupé en petits dés
1 cuil. à soupe de persil frais haché
sel de mer et poivre noir du moulin

1 Pelez et coupez les pommes de terre en morceaux. Faites bouillir à l'eau légèrement salée 20 min, jusqu'à ce qu'elles soient très tendres.

2 Égouttez les pommes de terre et remettez-les dans la casserole pour les sécher à feu doux.

3 Écrasez les pommes de terre ou passez-les au presse-purée. Ajoutez le beurre et le lait, le jambon cuit, les dés de poivron et le persil. Assaisonnez et servez.

POMMES DE TERRE À LA LYONNAISE

Deux ingrédients sont préparés séparément puis mélangés pour donner une harmonie parfaite. Ces pommes de terre se marient avec de simples plats de viande, tels que des steaks ou des côtes de porc, accompagnés de haricots verts au beurre.

Pour 6 personnes

INGRÉDIENTS

1 kg de pommes de terre farineuses
huile végétale pour frire à la poêle
25 g de beurre
1 cuil. à soupe d'huile d'olive
2 oignons moyens émincés en anneaux
sel de mer
1 cuil. à soupe de persil haché, en garniture

1 Nettoyez les pommes de terre à la brosse et faites-les cuire 10 min dans une grande casserole d'eau bouillante.

2 Égouttez les pommes de terre dans une passoire et laissez tiédir. Quand elles ont suffisamment refroidi, épluchez-les et émincez-les finement.

3 Chauffez l'huile végétale et faites frire les pommes de terre en plusieurs fois, 10 min, jusqu'à ce qu'elles soient dorées, en les retournant de temps à autre.

4 Faites fondre le beurre avec l'huile d'olive dans une poêle et mettez les oignons à revenir 10 min. Égouttez sur du papier absorbant.

5 Retirez les pommes de terre avec une écumoire, égouttez sur du papier absorbant. Saupoudrez de sel, mélangez avec les oignons et parsemez de persil.

VARIANTE

Pour une version plus substantielle de ce plat, ajoutez du jambon ou du bacon. Hachez grossièrement 50 g de jambon ou de bacon et faites-le cuire avec les oignons.

POMMES DE TERRE BYRON

Ce plat complet est constitué de pommes de terre au four garnies d'un mélange crémeux.

Pour 6 personnes

INGRÉDIENTS

- 3 pommes de terre à cuire au four
- 125 g de cheddar vieux râpé
- 6 cuil. à soupe de crème liquide
- sel de mer et poivre noir du moulin

CONSEIL

Vous pouvez raccourcir le temps de préparation avec une cuisson préalable au four à micro-ondes. Piquez la surface des pommes de terre et mettez-les dans un plat à micro-ondes couvert. Faites cuire à puissance maximale jusqu'à ce qu'elles commencent à s'attendrir (vérifiez après 2 min de cuisson, puis chaque minute). Mettez-les ensuite au four pour rendre la peau croustillante en les laissant cuire encore 45 min.

1 Préchauffez le four à 200 °C (th. 7). Nettoyez les pommes de terre et séchez-les. Piquez la surface à la fourchette et faites-les cuire 1 h 20 directement sur la plaque au centre du four.

2 Retirez les pommes de terre du four et partagez-les en deux. Posez les moitiés sur une plaque à pâtisserie et formez un creux au milieu de chaque pomme de terre, en relevant les bords.

3 Mélangez le fromage avec la crème liquide et répartissez le mélange entre les pommes de terre.

4 Passez 5 min sous le gril, jusqu'à ce que le fromage commence à fondre et bouillonner. Servez brûlant, saupoudré de sel de mer et de poivre noir.

POMMES DE TERRE À LA BOULANGÈRE

Pommes de terre et oignons sont disposés en couches et cuits dans le beurre et le bouillon. Ce délicieux plat accompagne remarquablement la viande ou le poisson.

Pour 6 personnes

INGRÉDIENTS

- 500 g de pommes de terre de conservation très finement émincées
- beurre pour graisser le plat
- 2 oignons finement émincés en anneaux
- 2 gousses d'ail écrasées
- 50 g de beurre coupé en dés
- 30 cl de bouillon de légumes
- sel de mer et poivre noir du moulin
- persil haché, en garniture

VARIANTE

Si vous voulez rendre ce plat plus substantiel, saupoudrez d'un peu de fromage râpé avant de le mettre au four.

1 Préchauffez le four à 180 °C (th. 6). Graissez le fond et les côtés d'un plat à four de 1,5 litre.

2 Tapissez le plat avec une partie des pommes de terre émincées. Parsemez d'ail et d'oignons. Continuez à alterner pommes de terre et oignons, en assaisonnant entre chaque couche.

3 Aplatissez les légumes dans le plat et parsemez de beurre. Arrosez avec le bouillon et faites cuire 1 h 30, en couvrant le plat avec du papier d'aluminium après 1 h de cuisson, si le dessus commence à brunir. Servez les pommes de terre après les avoir saupoudrées de persil, de sel et de poivre.

LATKES DE POMMES DE TERRE

Les latkes *sont des crêpes de pommes de terre juives traditionnelles, dorées à la poêle et servies avec du bœuf salé chaud ou de la compote de pommes et de la crème fraîche citronnée.*

Pour 4 personnes

INGRÉDIENTS

- 2 grosses pommes de terre farineuses
- 1 oignon
- 1 gros œuf battu
- 2 cuil. à soupe de farine (ou de farine *matzo* si vous en trouvez)
- huile végétale pour friture
- sel et poivre noir du moulin

1 Râpez grossièrement les pommes de terre et l'oignon. Mettez-les dans une grande passoire mais ne les rincez pas. Faites sortir l'eau du mélange en le pressant entre vos mains. Transférez dans une jatte.

2 Incorporez l'œuf battu, puis la farine, en remuant délicatement. Assaisonnez de sel et de beaucoup de poivre.

3 Chauffez 1 cm d'huile dans une poêle à fond épais, pendant quelques minutes (1 petit morceau de pain plongé dans l'huile doit dorer en 1 min). Posez délicatement 1 cuillerée de la préparation dans l'huile. Faites de même plusieurs crêpes, sans trop les serrer.

4 Aplatissez légèrement chaque crêpe avec le dos d'une cuillère. Faites frire quelques minutes jusqu'à ce que le dessous des *latkes* soit doré. Retournez avec précaution et faites dorer l'autre face.

5 Égouttez sur du papier absorbant et disposez sur un plat allant au four. Gardez au chaud à four modéré, pendant que vous faites frire le reste. Servez chaud.

VARIANTE

Pour changer le goût, remplacez la moitié des pommes de terre par des topinambours.

SOUFFLÉS SUISSES AUX POMMES DE TERRE

Ce mélange d'ingrédients riches et savoureux – fromage, œufs, crème fraîche, beurre et pommes de terre – est un plat idéal pour les froides journées d'hiver.

Pour 4 personnes

INGRÉDIENTS

- 4 pommes de terre farineuses pour cuisson au four
- 120 g de gruyère râpé
- 120 g de beurre aux herbes
- 4 cuil. à soupe de crème entière liquide
- 2 œufs, les blancs séparés des jaunes
- sel et poivre noir du moulin
- ciboulette ciselée et mayonnaise, en accompagnement (facultatif)

1 Préchauffez le four à 220 °C (th. 8). Piquez les pommes de terre. Faites cuire au four 1 h à 1 h 30. Retirez du four et baissez la température à 180 °C (th. 6).

2 Coupez chaque pomme de terre en deux et retirez la chair que vous réservez dans une jatte. Remettez les peaux de pommes de terre à dorer au four.

3 Écrasez la chair des pommes de terre à la fourchette. Ajoutez le gruyère, le beurre aux herbes, la crème liquide, les jaunes d'œufs, du sel et du poivre et mélangez.

4 Battez les blancs d'œufs en neige ferme dans une autre jatte (ils doivent rester souples) puis incorporez-les délicatement dans le mélange de pommes de terre.

5 Fourrez les peaux vides de pommes de terre de la préparation et posez le tout sur une plaque à pâtisserie. Faites cuire 20 à 25 min au four, le mélange doit gonfler et dorer.

6 Servez les soufflés très chauds, éventuellement parsemés de ciboulette fraîche ciselée et accompagnés de mayonnaise.

PETITS PUDDINGS DE POMMES DE TERRE DU YORKSHIRE

Ces mini-puddings du Yorkshire, au cœur fondant de purée aux herbes, seront délicieux avec le rôti du dimanche ou pour le souper familial, accompagnés de saucisses.

Pour 6 personnes

INGRÉDIENTS

- 300 g de pommes de terre farineuses
- lait crémeux et beurre pour la purée
- 1 cuil. à café de persil frais haché
- 1 cuil. à café d'estragon frais haché
- 80 g de farine
- 1 œuf
- 12 cl de lait
- huile végétale ou margarine au tournesol pour cuisson au four
- sel et poivre noir du moulin

1 Faites cuire les pommes de terre à l'eau bouillante jusqu'à ce qu'elles soient tendres, puis écrasez-les en purée avec un peu de lait et de beurre.

2 Incorporez le persil et l'estragon hachés et assaisonnez à votre goût. Préchauffez le four à 200 °C (th. 7).

3 Mettez la farine, l'œuf, le lait et un peu de sel dans le bol d'un mixer et actionnez pour obtenir une pâte lisse de la consistance d'une pâte à frire.

4 Déposez environ 1/2 cuillerée à café d'huile ou 1 noisette de margarine dans le fond de 6 ramequins et placez 2 à 3 min au four pour que l'huile ou la margarine soient très chaudes.

5 En travaillant rapidement, versez un peu de pâte (environ 4 cuillerées à café) dans chaque ramequin. Ajoutez 1 cuillerée à soupe bien pleine de purée, puis versez à nouveau une quantité égale de pâte dans chaque ramequin. Faites cuire les puddings 15 à 20 min au four, afin qu'ils soient gonflés et dorés.

6 Démoulez avec précaution les puddings à l'aide d'une spatule, puis disposez-les sur un plat de service chaud. Servez aussitôt.

CONSEIL

Pour gagner du temps, vous pouvez faire cuire les pommes de terre et les écraser la veille. Vous n'aurez plus qu'à terminer rapidement le plat.

POMMES DE TERRE RÔTIES À L'AIL

Les pommes de terre rôties avec leur peau ont un subtil goût boisé (de plus, elles absorbent moins de matières grasses) et l'ail cuit au four n'est plus aussi « vigoureux » ; pressez-le sur les pommes de terre pour obtenir une purée onctueuse.

Pour 4 personnes

INGRÉDIENTS

- 1 kg de petites pommes de terre farineuses
- 2 têtes d'ail entières non pelées
- 5 cuil. à soupe d'huile de tournesol
- 2 cuil. à café d'huile de noix
- sel

CONSEIL

S'il vous reste de l'ail, vous pouvez presser les gousses et mettre la pulpe dans votre prochaine soupe ou votre prochaine purée.

1 Préchauffez le four à 240 °C (th. 9). Mettez les pommes de terre dans l'eau froide et portez à ébullition. Égouttez.

2 Versez les huiles dans un plat à four et faites chauffer au four. Ajoutez l'ail et les pommes de terre et enrobez d'huile.

3 Saupoudrez de sel et faites rôtir 10 min. Baissez le thermostat à 200 °C (th. 7) et continuez la cuisson 30 à 40 min, en arrosant de temps à autre.

4 Servez chaque portion de pommes de terre avec plusieurs gousses d'ail.

POMMES DE TERRE, POIVRONS ET ÉCHALOTES RÔTIS AU ROMARIN

Les pommes de terre s'imprègnent des saveurs et des arômes de l'échalote et du romarin qui parfument la cuisine tout entière.

Pour 4 personnes

INGRÉDIENTS

- 500 g de pommes de terre à chair ferme
- 12 échalotes
- 2 poivrons jaunes
- huile d'olive
- 2 brins de romarin
- sel et poivre noir du moulin
- grains de poivre écrasés, en garniture

1 Préchauffez le four à 200 °C (th. 7). Faites cuire à demi les pommes de terre dans leur peau, 5 min à l'eau bouillante salée. Égouttez et, quand elles ont assez refroidi, épluchez-les et coupez-les en deux dans la longueur.

CONSEIL

Ce plat est parfait pour accompagner de l'agneau ou du poulet grillé.

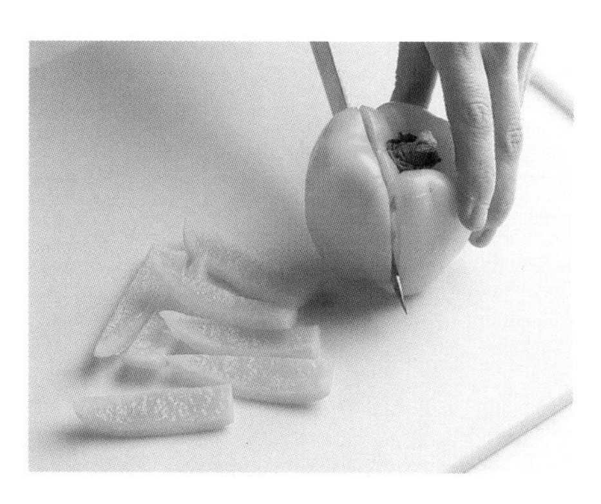

2 Épluchez les échalotes en les laissant entières. Coupez chaque poivron en long, en 8 lamelles, jetez les graines et les membranes.

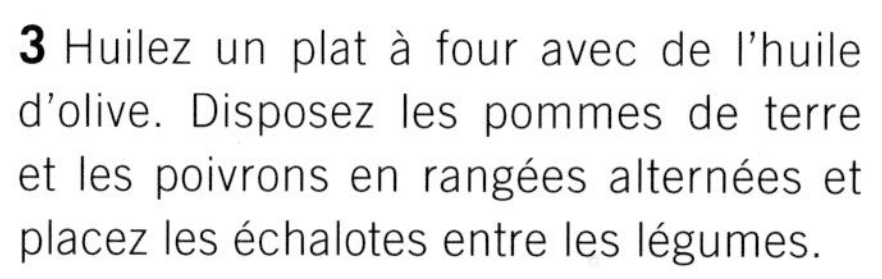

3 Huilez un plat à four avec de l'huile d'olive. Disposez les pommes de terre et les poivrons en rangées alternées et placez les échalotes entre les légumes.

4 Coupez les brins de romarin en morceaux de 5 cm et glissez-les entre les légumes. Salez et poivrez généreusement, ajoutez l'huile d'olive et faites rôtir, à découvert, 30 à 40 min, jusqu'à ce que les légumes soient tendres. Retournez les légumes de temps à autre. Servez très chaud ou à température ambiante, avec des grains de poivre écrasés.

PATATES DOUCES CONFITES AU LARD

Le lard fumé se marie très bien avec ces patates douces qui fondent dans la bouche. Elles accompagneront de façon originale le canard ou le poulet rôti.

Pour 4 à 6 personnes

INGRÉDIENTS

- 1 kg de patates douces
- 4 tranches de lard fumé maigre, coupé en bâtonnets
- beurre pour graisser le plat
- 120 g de sucre roux
- 2 cuil. à soupe de jus de citron
- 40 g de beurre
- sel et poivre noir du moulin
- 1 feuille de persil plat, en garniture

1 Préchauffez le four à 190 °C (th. 6) et beurrez légèrement un plat à four. Coupez, sans les éplucher, les patates en trois, dans la largeur, et faites cuire à l'eau bouillante 25 min environ, sous couvercle. Elles doivent être tendres.

2 Égouttez et laissez refroidir. Pelez et coupez les patates en tranches épaisses. Disposez-les en une seule couche dans le plat préparé, en les faisant se chevaucher.

3 Saupoudrez de sucre, arrosez de jus de citron et parsemez de beurre.

4 Couronnez de lard et assaisonnez. Faites cuire 35 à 50 min au four, à découvert, en arrosant une ou deux fois.

5 Les patates sont prêtes quand elles sont tendres ; vérifiez la cuisson avec un couteau. Retirez du four dès qu'elles sont cuites.

6 Préchauffez le gril à température maximale. Saupoudrez les patates de persil. Placez le plat sous le gril 2 à 3 min, jusqu'à ce que les patates soient dorées et le lard croustillant. Servez chaud.

GRATIN DE POMMES DE TERRE AUX HERBES

Ces pommes de terre sont crémeuses, parfumées avec de nombreuses herbes et couronnées de fromage doré et croustillant.

Pour 4 personnes

INGRÉDIENTS

- 700 g de pommes de terre à chair ferme
- 4 cuil. à soupe d'herbes fraîches hachées en mélange : cerfeuil, thym, ciboulette et persil
- 25 g de beurre, plus un peu pour graisser le plat
- 1 oignon finement haché
- 1 gousse d'ail écrasée
- 2 œufs
- 30 cl de crème fraîche
- 125 g de gruyère râpé
- muscade râpée
- sel et poivre noir du moulin

1 Mettez une plaque dans le four et préchauffez à 190 °C (th. 6). Beurrez un plat à four.

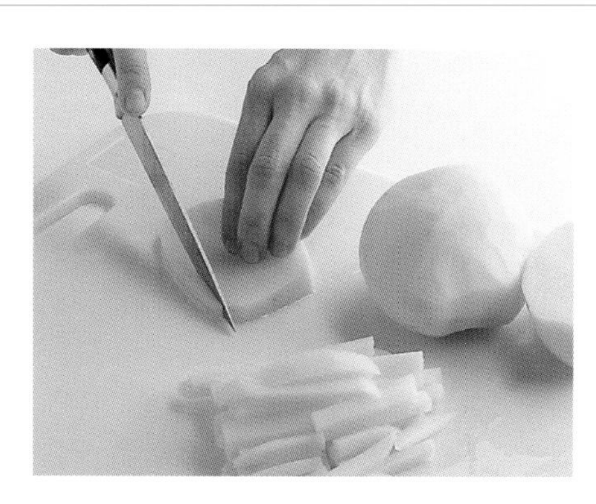

2 Épluchez les pommes de terre et coupez-les en bâtonnets. Réservez pendant que vous préparez la sauce. Faites fondre le beurre dans une poêle, puis mettez l'oignon et l'ail à cuire jusqu'à ce qu'ils soient tendres. Retirez du feu et laissez tiédir. Dans un grand saladier, mélangez au fouet les œufs, la crème fraîche et environ la moitié du gruyère râpé.

3 Incorporez au mélange les oignons, les herbes, les pommes de terre, le sel, le poivre et la muscade. Versez le tout dans le plat préparé et saupoudrez de fromage. Faites cuire au four sur la plaque brûlante, 50 min à 1 h : le dessus doit être doré. Servez le gratin aussitôt, dans le plat, pour que les pommes de terre restent bien chaudes.

FRITES RÔTIES AU FOUR

Cette façon de faire les frites est beaucoup plus simple et tout aussi bonne qu'en friture.

Pour 4 à 6 personnes

INGRÉDIENTS

- 4 pommes de terre pour cuisson au four, moyennes à grosses
- 15 cl d'huile d'olive
- 1 cuil. à café d'herbes sèches en mélange
- fleur de sel
- mayonnaise, en accompagnement

CONSEIL

Les frites rôties au four font un excellent dîner avec des œufs au plat, des champignons et des tomates grillés.

VARIANTE

Les patates douces font aussi de bonnes frites. Préparez et faites rôtir de la même façon. La cuisson est un peu moins longue.

1 Préchauffez le four à la plus haute température, généralement 250 °C (th. 9-10). Huilez légèrement un plat à four peu profond et mettez-le dans le four pour qu'il chauffe pendant que vous préparez les pommes de terre.

2 Coupez les pommes de terre en deux dans la longueur puis en longs quartiers minces ou plus épais, à votre goût. Passez un peu d'huile sur chaque côté.

3 Quand le four est vraiment très chaud, retirez le plat avec précaution et étalez les pommes de terre sur le fond, en une seule couche, sur l'huile bouillante.

4 Saupoudrez les pommes de terre d'herbes et de sel et faites rôtir environ 20 min ou plus longtemps si elles sont épaisses ; elles doivent être dorées, croustillantes et gonflées. Retirez du four et servez avec de la mayonnaise.

PURÉE DE POMMES DE TERRE À L'AIL

Cette purée de pommes de terre crémeuse est délicieuse avec toutes sortes de viandes rôties ou poêlées, ainsi qu'avec des plats végétariens. La recette comporte une grande quantité d'ail, mais ce dernier perd de sa force à la cuisson.

Pour 6 à 8 personnes

INGRÉDIENTS

- 1,5 kg de pommes de terre pour cuisson au four, coupées en quatre
- 3 têtes d'ail entières, séparées en gousses non pelées
- 120 g de beurre
- 15 à 20 cl de lait
- sel et poivre blanc du moulin

CONSEIL

Cette recette donne une purée crémeuse et très légère. Dosez le lait pour obtenir une purée plus ou moins ferme. Le lait doit être bouillant. Gardez la purée au chaud sur une casserole d'eau bouillante.

1 Portez une petite casserole d'eau à ébullition. Ajoutez les 2/3 des gousses d'ail et laissez bouillir 2 min. Égouttez-les et épluchez-les.

2 Mettez le reste des gousses d'ail dans un plat à four et faites cuire 30 à 40 min au four préchauffé à 200 °C (th. 7).

3 Dans une poêle à fond épais, faites fondre 50 g de beurre à feu doux. Ajoutez l'ail blanchi, couvrez et laissez cuire doucement 20 à 25 min, les gousses doivent être très tendres et à peine dorées. Secouez la poêle et mélangez plusieurs fois. Ne laissez pas l'ail brûler ou brunir.

4 Retirez la poêle du feu et laissez refroidir. Mettez l'ail et le beurre de cuisson dans le bol d'un mixer et actionnez pour obtenir une purée lisse. Versez dans un bol et couvrez la surface avec un film plastique pour empêcher la formation d'une peau. Réservez.

5 Faites cuire les pommes de terre à l'eau bouillante salée jusqu'à ce qu'elles soient tendres. Égouttez et passez au moulin à légumes ou au presse-purée dans la casserole. Remettez la casserole sur feu modéré et tournez la purée avec une cuillère en bois, 1 à 2 min, pour bien la sécher. Retirez la casserole du feu.

6 Chauffez le lait jusqu'à ce qu'il commence à bouillonner. Incorporez peu à peu le lait, le reste du beurre et la purée d'ail dans les pommes de terre. Assaisonnez de sel et de poivre blanc si nécessaire, puis servez la purée chaude, avec les gousses d'ail rôties.

PURÉE AUX CIBOULES

Simple mais goûteuse, cette recette irlandaise traditionnelle donne une excellente purée pour accompagner un ragoût de mouton ou de bœuf.

Pour 4 personnes

INGRÉDIENTS

- 1 kg de pommes de terre farineuses
- 1 petite botte de ciboules finement hachées
- 15 cl de lait
- 50 g de beurre fondu
- sel et poivre noir du moulin

CONSEIL

S'il vous reste de la purée, ne vous inquiétez pas. Elle se garde très bien au réfrigérateur et il suffit de la réchauffer avant de la servir.

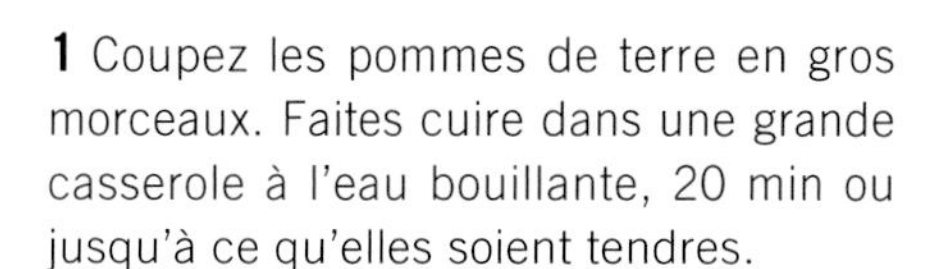

1 Coupez les pommes de terre en gros morceaux. Faites cuire dans une grande casserole à l'eau bouillante, 20 min ou jusqu'à ce qu'elles soient tendres.

2 Mettez les ciboules dans une casserole avec le lait. Portez à ébullition puis baissez le feu et laissez frémir jusqu'à ce que les ciboules soient fondantes.

3 Égouttez les pommes de terre et laissez-les refroidir. Quand elles sont froides, épluchez-les et remettez-les dans la casserole. Mettez la casserole sur le feu et tournez les pommes de terre 1 min, pour les sécher. Retirez du feu.

4 Écrasez les pommes de terre avec le lait et les ciboules, assaisonnez. Servez la purée chaude avec le beurre fondu.

PURÉE CRÉMEUSE À LA MUSCADE

C'est la vraie purée d'autrefois, crémeuse et mousseuse, qu'on trouve rarement au restaurant et qui est pourtant si facile à réaliser.

Pour 4 personnes

INGRÉDIENTS

- 1 kg de pommes de terre farineuses coupées en morceaux
- 3 cuil. à soupe d'huile d'olive vierge extra
- environ 15 cl de lait chaud
- muscade râpée
- quelques feuilles de basilic ou brins de persil hachés
- sel et poivre noir du moulin
- feuilles de basilic, en garniture
- tranches de lard frit, en accompagnement

CONSEIL

Le choix des pommes de terre est très important pour obtenir une bonne purée. Si elles sont trop fermes, la purée ne sera ni légère ni mousseuse et, si elles se défont à la cuisson, la purée sera aqueuse.

1 Faites cuire les pommes de terre à l'eau bouillante jusqu'à ce qu'elles soient tendres mais non gorgées d'eau. Égouttez soigneusement. Écrasez les pommes de terre avec un presse-purée à levier (sorte de gros presse-ail) ou à action manuelle. N'utilisez pas le mixer qui rendrait la purée gluante.

2 Incorporez au fouet l'huile d'olive et assez de lait pour obtenir une purée lisse.

3 Assaisonnez à votre goût avec la muscade, le sel et le poivre et incorporez les herbes hachées. Versez dans un plat de service chaud et servez la purée aussitôt, garnie de basilic et de lard frit.

POMMES DE TERRE AUX PIMENTS ROUGES

Si vous aimez les piments, vous adorerez ces pommes de terre ! Si vous redoutez leur piquant, laissez de côté toutes les graines et n'utilisez que la chair.

Pour 4 personnes

INGRÉDIENTS

- 12 à 14 petites pommes de terre nouvelles ou à salade, coupées en deux
- 1/2 cuil. à café de piments rouges séchés, écrasés
- 1 à 4 piments rouges frais hachés
- 2 cuil. à soupe d'huile végétale
- 1/2 cuil. à café de graines de cumin blanc
- 1/2 cuil. à café de graines de fenouil
- 1/2 cuil. à café de graines de coriandre écrasées
- 1 cuil. à café de sel
- 1 oignon émincé
- 1 cuil. à soupe de coriandre fraîche hachée, plus un peu en garniture

CONSEIL

Pour préparer les piments frais, fendez-les et retirez les graines, à moins que vous n'aimiez les plats très relevés. Émincez ou hachez la chair. Portez des gants de caoutchouc si vous avez la peau sensible.

1 Faites cuire les pommes de terre à l'eau bouillante salée jusqu'à ce qu'elles soient tendres mais encore fermes. Retirez du feu et égouttez. Réservez.

2 Dans une poêle à bord haut, chauffez l'huile sur feu assez vif puis baissez à feu modéré. Ajoutez les piments écrasés, les graines de cumin, de fenouil et de coriandre, le sel et faites frire 30 à 40 s en remuant.

3 Ajoutez l'oignon émincé et faites cuire jusqu'à ce qu'il soit doré. Incorporez ensuite les pommes de terre, les piments rouges et la coriandre, et mélangez bien.

4 Baissez le feu, couvrez et faites cuire à feu très doux 5 à 7 min. Servez les pommes de terre très chaudes, garnies de coriandre fraîche.

PAILLASSON DE POMMES DE TERRE

Ce plat tire son nom de sa texture de fibres entrecroisées comme celles d'un paillasson.

Pour 4 personnes

INGRÉDIENTS

500 g de pommes de terre à chair assez ferme
25 g de beurre fondu
1 cuil. à soupe d'huile végétale
sel et poivre noir du moulin

1 Pelez et râpez les pommes de terre. Mélangez-les avec le beurre fondu et assaisonnez.

2 Chauffez l'huile dans une grande poêle à fond épais. Ajoutez les pommes de terre en les étalant sur une épaisseur uniforme qui recouvre le fond de la poêle. Faites cuire 7 à 10 min à feu modéré, le dessous doit être bien doré.

3 Détachez le paillasson s'il colle au fond de la poêle, en glissant une spatule et en secouant la poêle.

4 Pour retourner le paillasson, posez une grande plaque à pâtisserie sur la poêle et, en la maintenant fermement contre la poêle, retournez le tout d'un même geste. Retirez la poêle, remettez-la sur le feu avec un peu d'huile si elle paraît sèche. Faites glisser le paillasson dans la poêle, côté doré vers le haut et continuez la cuisson jusqu'à ce que le dessous soit croustillant et doré.

5 Servez le paillasson très chaud, coupé en parts individuelles.

CONSEIL

Au lieu d'un seul grand paillasson, vous pouvez en faire plusieurs petits. La méthode est la même, mais ajustez le temps de cuisson à la taille de vos paillassons.

POMMES DE TERRE SAUTÉES

Ces pommes de terre croustillantes et parfumées de romarin sont toujours appréciées.

Pour 6 personnes

INGRÉDIENTS

1,5 kg de pommes de terre à chair ferme
4 à 6 cuil. à soupe de matière grasse : saindoux ou beurre clarifié
2 brins de romarin, feuilles hachées
sel et poivre noir du moulin

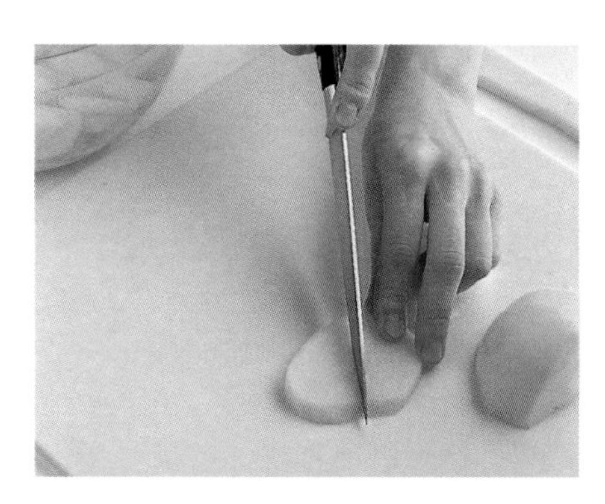

1 Pelez les pommes de terre et coupez-les en tranches de 2 cm.

2 Laissez tremper 10 min dans une jatte d'eau froide. Égouttez, rincez, égouttez à nouveau, séchez sur du papier absorbant.

3 Dans une grande poêle à fond épais, chauffez 4 cuillerées à soupe de matière grasse (saindoux ou beurre) à feu assez vif, jusqu'à ce qu'elle soit très chaude, mais non fumante. Ajoutez les pommes de terre et faites-les cuire 2 min sans remuer, pour les saisir et les dorer.

4 Secouez la poêle pour retourner les pommes de terre et faites-les sauter fréquemment, jusqu'à ce qu'elles soient dorées uniformément. Salez et poivrez.

5 Ajoutez un peu de matière grasse (saindoux ou beurre), et continuez la cuisson à feu très modéré pendant 20 à 25 min, en remuant et en secouant souvent la poêle, jusqu'à ce que la pointe d'un couteau s'enfonce sans difficulté dans les pommes de terre.

6 Environ 5 min avant la fin de la cuisson, saupoudrez de romarin haché. Servez les pommes de terre aussitôt.

CRÊPE DE POMMES DE TERRE AU CHOU

Que vous utilisiez des restes ou que vous réalisiez cette ancienne recette classique avec des ingrédients frais, faites-les bien revenir dans la poêle pour qu'ils caramélisent en exhalant leurs parfums et leurs saveurs. En Irlande, le plat s'appelle colcannon, *et on le sert en tranches, comme un gâteau.*

Pour 4 personnes

INGRÉDIENTS

- 500 g de pommes de terre farineuses cuites et écrasées
- 250 g de chou cuit ou de choux de Bruxelles, finement haché(s)
- 4 cuil. à soupe de saindoux ou d'huile végétale
- 1 oignon finement haché
- sel et poivre noir du moulin

1 Chauffez 2 cuillerées à soupe de saindoux ou d'huile dans une poêle à fond épais. Ajoutez l'oignon et faites-le fondre sans le dorer, en remuant souvent.

2 Dans une grande jatte, mélangez les pommes de terre avec le chou ou les choux de Bruxelles cuits, assaisonnez de sel et de beaucoup de poivre.

3 Mettez les légumes dans la poêle avec les oignons cuits, mélangez bien, et appuyez sur le mélange en l'étalant pour former une grosse crêpe.

4 Faites cuire 15 min à feu modéré, le dessous doit être doré.

5 Posez un grand plat à l'envers sur la poêle et, en le tenant fermement, retournez le tout d'un seul geste. Retirez la poêle, remettez-la sur le feu avec le reste du saindoux ou de l'huile. Quand la graisse est chaude, faites glisser la crêpe dans la poêle, côté doré vers le haut.

6 Faites cuire 10 min à feu modéré, le dessous doit être doré. Servez la crêpe chaude, coupée en tranches.

CONSEIL

Si vous n'avez pas de restes de chou, émincez du chou cru et faites cuire à l'eau salée jusqu'à ce qu'il soit tendre. Égouttez et hachez.

PATATES DOUCES CONFITES À L'ORANGE

Cette recette évoque toutes les saveurs de l'Amérique où les tables de Thanksgiving *et de Noël ne pourraient se passer de patates douces. Servez avec des quartiers d'oranges.*

Pour 8 personnes

INGRÉDIENTS

- 1 kg de patates douces
- 25 cl de jus d'orange
- 4 cuil. à soupe de sirop d'érable
- 1 cuil. à café de gingembre râpé frais
- 1 cuil. à café et 1/2 de cannelle en poudre
- 1 cuil. à café de cardamome en poudre
- 1 cuil. à café et 1/2 de sel
- poivre noir du moulin
- cannelle râpée, en garniture
- quartiers d'oranges, en accompagnement

1 Préchauffez le four à 180 °C (th. 6). Pelez les patates douces, coupez-les en dés et faites cuire 5 min à l'eau bouillante.

2 Pendant ce temps, mélangez le reste des ingrédients. Étalez sur un plat à four peu profond, antiadhésif.

3 Égouttez les patates douces et étalez-les dans le plat ; faites-les cuire 1 h au four, en les retournant toutes les 15 min, jusqu'à ce qu'elles soient tendres et bien confites. Servez pour accompagner un plat principal, avec des quartiers d'oranges et de la cannelle en poudre.

GALETTES DE POMMES DE TERRE À L'OIGNON

Ces galettes dorées de pommes de terre à l'oignon sont très appréciées des Anglo-Saxons au petit déjeuner, mais elles sont délicieuses à tous les repas.

Pour 4 personnes

INGRÉDIENTS

- 500 g de pommes de terre cuites, coupées en petits dés ou râpées
- 1 petit oignon haché
- 4 cuil. à soupe d'huile de tournesol ou d'olive
- sel et poivre noir du moulin
- ciboulette, en garniture
- sauce tomate, en accompagnement

1 Chauffez l'huile dans une grande poêle à fond épais, elle doit être très chaude. Ajoutez les pommes de terre en une seule couche. Parsemez d'oignon, assaisonnez.

2 Faites cuire à feu modéré, en appuyant sur la galette avec une cuillère ou une spatule, pour agglomérer le tout.

3 Quand le dessous est bien doré, coupez en quartiers et retournez chaque quartier avec une spatule. Faites cuire jusqu'à ce que l'autre côté soit doré et légèrement croustillant, en appuyant à nouveau.

4 Servez les galettes chaudes, garnies de ciboulette, avec la sauce tomate dans une saucière.

VARIANTE

Ce légume d'accompagnement peut devenir un plat principal si vous lui ajoutez d'autres ingrédients, directement dans la poêle, comme de la viande cuite coupée en dés, des saucisses émincées ou même du corned-beef.

POMMES DE TERRE ESPAGNOLES AU PIMENT

Le nom de ces tapas espagnols, patatas bravas, *signifie pommes de terre «férocement» pimentées, mais on les mange généralement en petites quantités.*

Pour 4 personnes

INGRÉDIENTS

- 1 kg de petites pommes de terre nouvelles
- 2 à 3 petits piments rouges séchés, épépinés et finement hachés, ou 1 à 2 cuil. à café de piment fort en poudre
- 4 cuil. à soupe d'huile d'olive
- 1 oignon finement haché
- 2 gousses d'ail écrasées
- 1 cuil. à soupe de concentré de tomates
- 200 g de tomates concassées en boîte
- 1 cuil. à soupe de vinaigre de vin rouge
- 1 cuil. à café de paprika
- sel et poivre noir du moulin
- 1 brin de persil plat, en garniture
- piments rouges frais hachés, en garniture

1 Faites cuire les pommes de terre à l'eau dans leur peau, 10 à 12 min, elles doivent être juste tendres. Égouttez, laissez refroidir, coupez en deux et réservez.

2 Chauffez l'huile dans une grande casserole, ajoutez l'oignon et l'ail. Faites cuire 5 à 6 min à feu doux. Incorporez le concentré de tomates, les tomates concassées, le vinaigre, les piments (ou la poudre) et le paprika, laissez frémir 5 min.

3 Ajoutez les pommes de terre à la sauce et mélangez bien. Couvrez et laissez mijoter 8 à 10 min, jusqu'à ce que les pommes de terre soient tendres.

4 Assaisonnez et mettez les pommes de terre dans un plat de service chaud. Servez aussitôt, garni d'1 brin de persil plat. Pour que le plat soit encore plus pimenté, garnissez de piments rouges frais, hachés.

CONSEIL

Vous pouvez réduire la quantité de piment selon votre goût et celui de vos convives.

ALOO SAAG

Les épices indiennes traditionnelles – graines de moutarde, gingembre et piment – donnent de la vigueur aux pommes de terre et aux épinards de cet excellent et authentique curry.

Pour 4 personnes

INGRÉDIENTS

- 700 g de pommes de terre à chair ferme coupées en morceaux de 3 cm
- 500 g d'épinards
- 2 cuil. à soupe d'huile végétale
- 1 cuil. à café de graines de moutarde noire
- 1 oignon finement haché
- 2 gousses d'ail écrasées
- 1 morceau de 2 cm de gingembre frais finement haché
- 1 cuil. à café de piment en poudre
- 1 cuil. à café de sel
- 12 cl d'eau

CONSEILS

Pour bien sécher les épinards, mettez-les dans un torchon propre, roulez serré et tordez légèrement pour essorer tout le liquide. Choisissez une variété de pommes de terre à chair ferme, de bonne tenue à la cuisson.

1 Faites blanchir les épinards 3 à 4 min à l'eau bouillante.

2 Égouttez les épinards et laissez refroidir. Quand ils sont froids, pressez-les entre vos mains pour en faire sortir l'eau.

3 Chauffez l'huile dans une grande casserole et faites frire les graines de moutarde 2 min, en remuant.

4 Ajoutez l'oignon, l'ail et le gingembre et faites cuire 5 min en remuant.

5 Incorporez les pommes de terre, le piment en poudre, le sel et l'eau et laissez 8 min, en remuant de temps à autre.

6 Pour finir, ajoutez les épinards. Couvrez et laissez mijoter 10 à 15 min, les épinards doivent être cuits et les pommes de terre tendres. Servez chaud.

POMMES DE TERRE, SAUCE AU YAOURT

Les pommes de terre non pelées sont très bonnes dans cette sauce au yaourt épicée mais rafraîchissante. Servez avec de la viande ou du poisson ou simplement avec des chapatis *chauds.*

Pour 4 personnes

INGRÉDIENTS

- 12 petites pommes de terre nouvelles ou à salade, coupées en deux
- 250 g de yaourt nature maigre
- 30 cl d'eau
- 2 pincées de curcuma
- 1 cuil. à café de piment en poudre
- 1 cuil. à café de coriandre en poudre
- 1/2 cuil. à café de cumin en poudre
- 1 cuil. à café de sel
- 1 cuil. à café de sucre roux
- 2 cuil. à soupe d'huile végétale
- 1 cuil. à café de graines de cumin blanc
- 1 cuil. à soupe de coriandre fraîche hachée
- 2 piments verts frais émincés
- 1 brin de coriandre, en garniture (facultatif)

1 Faites cuire les pommes de terre dans leur peau à l'eau bouillante jusqu'à ce qu'elles soient tendres. Égouttez, réservez.

2 Mélangez le yaourt dans une jatte avec l'eau, le curcuma, le piment en poudre, la coriandre en poudre, le cumin en poudre, le sel et le sucre. Réservez.

3 Chauffez l'huile dans une casserole moyenne à feu assez vif et ajoutez les graines de cumin blanc.

4 Diminuez le feu à modéré, puis incorporez la préparation au yaourt réservée. Faites cuire 3 min environ, en remuant sans arrêt.

5 Ajoutez la coriandre fraîche, les piments verts et les pommes de terre dans la casserole. Mélangez bien et laissez cuire 5 à 7 min, en remuant de temps en temps.

6 Dressez sur le plat de service, garnissez éventuellement de feuilles de coriandre et servez très chaud.

CONSEIL

Si vous ne trouvez pas de pommes de terre nouvelles ou à salade, prenez 500 g de pommes de terre ordinaires mais non farineuses. Épluchez-les, coupez-les en gros morceaux et faites-les cuire comme indiqué ci-dessus.

PURÉE MASALA

Cette purée de pommes de terre bien épicée est savoureuse avec des viandes riches comme le canard, l'agneau ou le porc, simplement grillées ou rôties.

Pour 4 personnes

INGRÉDIENTS

- 2 pommes de terre farineuses moyennes
- 1 cuil. à soupe de menthe et de coriandre fraîches hachées, en mélange
- 1 cuil. à café de chutney de mangue
- 1 cuil. à café de sel
- 1 cuil. à café de grains de poivre noir écrasés
- 1 piment rouge frais finement haché
- 1 piment vert frais finement haché
- 50 g de beurre ou de margarine ramolli(e)

1 Faites cuire les pommes de terre dans une grande casserole d'eau bouillante salée jusqu'à ce qu'elles soient tendres. Égouttez bien. Écrasez-les au presse-purée à action manuelle.

2 Mélangez le reste des ingrédients dans un bol.

3 Incorporez la préparation à la purée, en en réservant un peu pour la garniture ; mélangez à la fourchette.

4 Servez chaud en formant un monticule ; couronnez la purée du reste de la préparation.

POMMES DE TERRE DE BOMBAY

Ce gujerati *classique (plat indien végétarien) de pommes de terre cuit lentement dans une riche sauce parfumée au curry et relevée de piments frais.*

Pour 4 à 6 personnes

INGRÉDIENTS

- 500 g de pommes de terre nouvelles ou à salade
- 1 cuil. à café de curcuma
- 4 cuil. à soupe d'huile végétale
- 2 piments rouges séchés
- 6 à 8 feuilles de coriandre
- 2 oignons finement hachés
- 2 piments verts frais finement hachés
- 50 g de feuilles de coriandre grossièrement hachées
- 2 pincées d'*assa-fœtida*
- 1/2 cuil. à café de chacune des graines suivantes : cumin, moutarde, oignon, fenouil et nigelle
- jus de citron
- sel
- feuilles de coriandre fraîches et frites, en garniture

1 Coupez les pommes de terre en petits morceaux. Faites-les cuire à l'eau bouillante salée, avec 1/2 cuillerée à café de curcuma. Égouttez, écrasez et réservez.

2 Chauffez l'huile dans une grande poêle. Faites frire les piments rouges et les feuilles de coriandre. Ajoutez les oignons, les piments verts, la coriandre hachée, le reste du curcuma, l'*assa-fœtida* et les graines. Faites cuire jusqu'à ce que les oignons soient tendres.

3 Incorporez les pommes de terre et un peu d'eau. Laissez cuire à feu doux environ 10 min, en remuant régulièrement afin que les épices soient bien réparties. Retirez les piments rouges et les feuilles de coriandre.

4 Servez les pommes de terre chaudes, arrosées de jus de citron. Garnissez avec des feuilles de coriandre fraîches frites.

Plats de viande et de volaille

Ces plats de viande et de volaille tirent le meilleur parti des pommes de terre, selon les saisons. Du collier d'agneau longuement mijoté avec des épices est complété de pommes de terre nouvelles, un poulet en sauce légère est couronné de boulettes de pommes de terre aux herbes, et un généreux ragoût de bœuf se dissimule sous un gratin

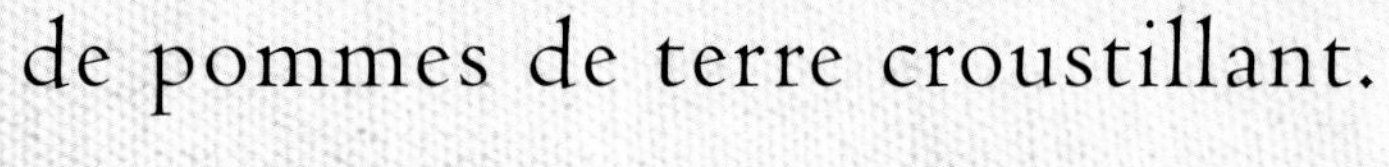

de pommes de terre croustillant.

POMMES DE TERRE AU FOUR AU PIMENT, STYLE TEX-MEX

Ce sont des pommes de terre au four classiques, fourrées de bœuf haché croustillant. Faciles à préparer et parfaites pour un repas familial.

Pour 4 personnes

INGRÉDIENTS

- 2 grosses pommes de terre pour cuisson au four
- 1/2 petit piment rouge frais épépiné et haché
- 1 cuil. à soupe d'huile végétale plus un peu pour enduire les pommes de terre
- 1 gousse d'ail écrasée
- 1 petit oignon haché
- 1/2 poivron rouge épépiné et haché
- 250 g de bœuf maigre haché
- 1 cuil. à café de cumin en poudre
- 1 pincée de poivre de Cayenne
- 200 g de tomates concassées en boîte
- 2 cuil. à soupe de concentré de tomates
- 1/2 cuil. à café d'origan frais
- 1/2 cuil. à café de marjolaine fraîche
- 200 g de haricots rouges en boîte égouttés
- 1 cuil. à soupe de coriandre fraîche hachée
- sel et poivre noir du moulin
- marjolaine fraîche hachée, en garniture
- feuilles de laitue, en accompagnement
- 4 cuil. à soupe de crème acidulée avec un jus de citron, en accompagnement

1 Préchauffez le four à 220 °C (th. 8). Frottez les pommes de terre avec un peu d'huile puis piquez-les sur une brochette.

2 Placez les pommes de terre sur une plaque dans le haut du four, et faites cuire 30 min avant de commencer à préparer la farce.

3 Chauffez l'huile dans une grande casserole et ajoutez l'ail, l'oignon et le poivron. Faites cuire 4 à 5 min à feu doux.

4 Mettez le bœuf à dorer. Incorporez le piment, le cumin, le poivre de Cayenne, les tomates concassées et le concentré, 4 cuillerées à soupe d'eau et les herbes. Portez à ébullition, puis baissez le feu, couvrez et laissez mijoter 25 min, en remuant de temps à autre.

5 Ajoutez les haricots rouges et laissez cuire 5 min à découvert. Retirez du feu et incorporez la coriandre hachée. Assaisonnez généreusement et réservez.

6 Coupez en deux les pommes de terre cuites au four et mettez-les dans des assiettes de service. Couronnez de la farce pimentée et d'1 cuillerée de crème acidulée. Garnissez de marjolaine fraîche hachée et servez chaud accompagné de quelques feuilles de laitue.

HACHIS DE CORNED-BEEF ET ŒUFS AU PLAT

Cette recette est adorée des enfants ! Version classique ou style américain, elle transforme le corned-beef en plat digne de tout invité.

Pour 4 personnes

INGRÉDIENTS

- 2 grosses pommes de terre fermes cuites à l'eau et coupées en dés
- 350 g de corned-beef coupé en dés
- 2 cuil. à soupe d'huile végétale
- 25 g de beurre
- 1 oignon finement haché
- 1 poivron vert épépiné et coupé en dés
- 2 pincées de muscade râpée
- 2 pincées de paprika
- 4 œufs
- sel et poivre noir du moulin
- persil frit, en garniture
- harissa douce ou sauce tomate, en accompagnement

CONSEIL

Mettez la boîte de corned-beef au réfrigérateur une demi-heure avant de l'utiliser, pour le raffermir et le couper en dés plus facilement.

1 Chauffez l'huile et le beurre ensemble dans une grande poêle. Ajoutez l'oignon et faites fondre 5 à 6 min.

2 Dans une jatte, mélangez les poivrons verts avec les pommes de terre, le corned-beef, la muscade et le paprika, assaisonnez bien. Versez dans la poêle et mélangez pour répartir l'oignon. Appuyez légèrement et faites cuire 3 à 4 min sans remuer, à feu modéré, jusqu'à ce que le dessous forme une croûte.

3 Mélangez bien pour répartir la croûte, puis répétez le processus deux fois jusqu'à ce que le mélange soit bien doré.

4 Faites 4 creux dans le hachis et cassez 1 œuf dans chacun d'eux. Couvrez et laissez cuire 4 à 5 min à feu doux jusqu'à ce que les blancs soient pris.

5 Parsemez de persil frit et coupez en quatre. Servez le hachis et les œufs chauds avec de la harissa ou de la sauce tomate.

RÖSTIS AU LARD ET AUX CHAMPIGNONS SAUVAGES

Les cèpes séchés ont un subtil parfum boisé. Avec les lardons salés, ils transforment ces röstis de pommes de terre en un délicieux dîner.

Pour 4 personnes

INGRÉDIENTS

- 700 g de pommes de terre farineuses
- 250 g de lard fumé coupé en lardons
- 10 g de cèpes séchés
- 2 brins de thym hachés
- 2 cuil. à soupe de persil frais haché
- 2 cuil. à soupe d'huile végétale
- 4 œufs
- 1 botte de cresson et grains de poivre concassés, en garniture

1 Faites cuire les pommes de terre à l'eau bouillante salée, pas plus de 5 min, car elles doivent rester assez fermes pour pouvoir être râpées.

2 Pendant ce temps, couvrez les champignons d'eau bouillante et laissez ramollir 5 à 10 min. Égouttez et hachez-les.

3 Faites cuire les lardons à feu doux dans une sauteuse antiadhésive jusqu'à ce que la graisse fonde. Retirez-les avec une écumoire et réservez la graisse.

4 Égouttez les pommes de terre et laissez refroidir. Quand elles sont assez froides, râpez-les grossièrement, puis séchez-les complètement sur du papier absorbant. Mettez-les dans une grande jatte et ajoutez les champignons, le thym, le persil et les lardons. Mélangez bien.

5 Chauffez dans la sauteuse la graisse réservée et un peu d'huile, elles doivent être brûlantes. Versez le mélange en petits tas et aplatissez. Faites cuire environ 6 min chaque fournée, en retournant une fois, afin que les deux côtés soient dorés et croustillants. Égouttez sur du papier absorbant et gardez au chaud au four.

6 Chauffez le reste de l'huile dans la sauteuse et faites cuire les œufs au plat. Servez les röstis avec les œufs, le cresson et les grains de poivre.

TORTILLA AU CHORIZO ET AU FROMAGE

Des pommes de terre émincées et des saucisses pimentées donnent une tortilla *relevée.*

Pour 4 personnes

INGRÉDIENTS

- 300 g de pommes de terre fermes cuites et émincées
- 250 g de chorizo coupé en lamelles
- 50 g de cheddar râpé
- 1 cuil. à soupe d'huile végétale
- 1/2 oignon émincé
- 1 petit poivron vert épépiné et coupé en anneaux
- 1 gousse d'ail finement hachée
- 1 tomate hachée
- 6 olives noires dénoyautées hachées
- 1 piment vert frais épépiné et haché
- 4 œufs
- 3 cuil. à soupe de lait
- 2 pincées de cumin en poudre
- 2 pincées d'origan
- 2 pincées de paprika
- sel et poivre noir du moulin
- feuilles de roquette, en garniture

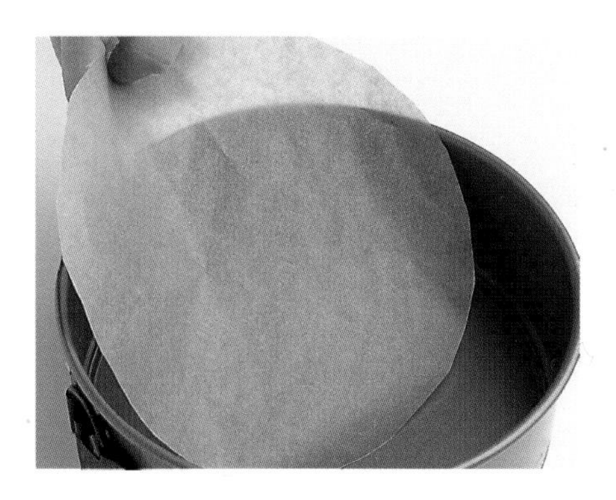

1 Préchauffez le four à 190 °C (th. 6). Tapissez un moule à gâteau rond avec du papier cuisson.

2 Chauffez l'huile dans une grande poêle antiadhésive. Mettez l'oignon, le poivron et l'ail à revenir 5 à 8 min à feu modéré.

3 Versez dans le moule avec la tomate, les olives, les pommes de terre, le chorizo et le piment. Mélangez et saupoudrez de fromage.

4 Dans une petite jatte, battez les œufs avec le lait jusqu'à ce qu'ils moussent. Ajoutez le cumin, l'origan, le paprika, du sel et du poivre. Mélangez au fouet.

5 Versez ce mélange sur les légumes, en inclinant le moule pour le répandre uniformément.

6 Faites cuire 30 min au four : la *tortilla* doit être prise et dorée. Servez-la en parts, chaude ou froide, avec la roquette.

RAGOÛT DE POMMES DE TERRE AUX SAUCISSES

Dans toute l'Irlande, vous trouverez de nombreuses variantes de ce plat traditionnel, mais les ingrédients de base restent les mêmes : pommes de terre, saucisses et lard.

Pour 4 personnes

INGRÉDIENTS

- 4 grosses pommes de terre finement émincées
- 8 grosses saucisses de porc
- 1 cuil. à soupe d'huile végétale
- 4 tranches de lard fumé coupé en lardons de 2 cm
- 2 gros oignons hachés
- 2 gousses d'ail hachées
- 2 pincées de sauge fraîche
- 30 cl de bouillon de légumes
- sel et poivre noir du moulin
- pain de seigle, en accompagnement

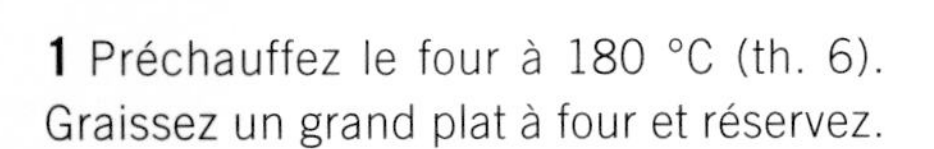

1 Préchauffez le four à 180 °C (th. 6). Graissez un grand plat à four et réservez.

2 Chauffez l'huile dans une poêle. Mettez le lard à revenir 2 min. Faites dorer les oignons 5 à 6 min. Ajoutez l'ail et laissez cuire 1 min, puis retirez le mélange de la poêle et réservez.

3 Faites frire les saucisses dans la poêle 5 à 6 min, jusqu'à ce qu'elles soient bien dorées.

4 Disposez les pommes de terre dans le plat préparé. Versez le mélange de lardons et d'oignons sur le dessus. Salez et poivrez et parsemez de sauge fraîche.

5 Arrosez de bouillon et posez les saucisses sur le dessus. Couvrez et laissez cuire 1 h au four. Servez le ragoût chaud avec du pain de seigle.

ESCALOPES DE PORC AUX POMMES ET AUX RÖSTIS

Le jus du porc imprègne les pommes et les röstis moelleux d'un merveilleux parfum et donne une délicieuse sauce.

Pour 4 personnes

INGRÉDIENTS

- 2 grosses pommes de terre finement râpées
- 4 escalopes de porc, de 175 g chacune environ
- 2 pommes granny smith moyennes, l'une râpée, l'autre coupée en tranches minces
- 2 gousses d'ail écrasées
- 1 œuf battu
- beurre pour graisser le plat
- 1 cuil. à soupe d'huile d'olive
- 4 grandes tranches de jambon de Parme
- 4 feuilles de sauge
- 25 g de beurre coupé en dés
- sel et poivre noir du moulin
- tranches de pommes caramélisées, en accompagnement

CONSEIL

Ne prolongez pas la cuisson du porc, pour ne pas le durcir.

1 Préchauffez le four à 200 °C (th. 7). Pressez les pommes de terre et la pomme râpées entre vos mains pour en exprimer toute l'eau. Mélangez avec l'ail, l'œuf et assaisonnez.

2 Divisez le mélange en 4 portions et posez-les sur une plaque à pâtisserie tapissée de papier d'aluminium graissé. Formez les portions de pommes de terre en rond et aplatissez-les légèrement avec le dos d'une cuillère. Arrosez d'un peu d'huile d'olive. Faites cuire 10 min au four.

3 Mettez le jambon de Parme sur le plan de travail et posez une escalope de porc sur chaque tranche. Mettez 1 feuille de sauge et des quartiers de pomme sur chaque escalope, puis ajoutez du beurre. Roulez le tout pour former des paupiettes, fermez avec un pique-olive.

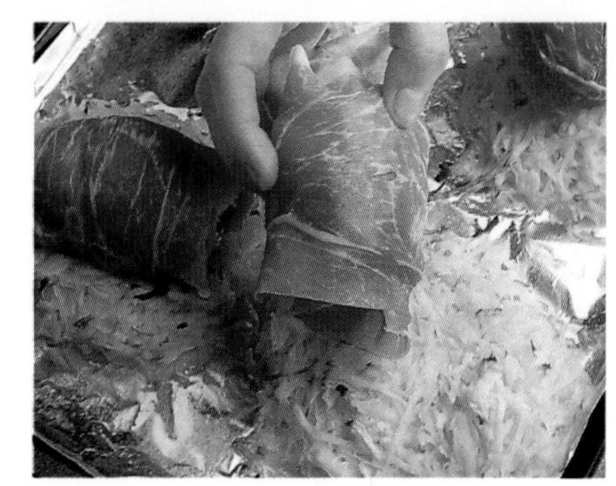

4 Retirez les röstis du four, posez 1 paupiette sur chacun d'eux et remettez au four 20 min. Détachez délicatement les pommes de terre et le porc du papier d'aluminium. Servez avec des tranches de pommes caramélisées et le jus de cuisson en saucière.

BŒUF À LA BIÈRE ET AUX POMMES DE TERRE

Chez les Irlandais, le bœuf est braisé dans la bière et couronné d'épaisses tranches de pommes de terre. La cuisson peut également se faire à four modéré.

Pour 4 personnes

INGRÉDIENTS

- 700 g de pommes de terre à chair ferme coupées en rondelles épaisses
- 700 g de bœuf à braiser
- 20 cl de bière brune
- 1 cuil. à soupe d'huile végétale
- 25 g de beurre
- 250 g de petits oignons blancs
- 30 cl de bouillon de bœuf
- bouquet garni
- 250 g de gros champignons émincés
- 1 cuil. à soupe de farine
- 1/2 cuil. à café de moutarde mi-forte
- sel et poivre noir du moulin
- thym haché, en garniture

1 Dégraissez complètement le bœuf et coupez-le en 4 morceaux. Assaisonnez les deux côtés de la viande. Chauffez l'huile et 10 g de beurre dans une grande sauteuse à fond épais.

2 Ajoutez la viande et faites revenir des deux côtés, sans faire noircir le beurre. Retirez de la sauteuse et réservez.

3 Mettez les petits oignons blancs dans la sauteuse et faites cuire 3 à 4 min, pour les dorer légèrement. Remettez la viande dans la sauteuse avec les oignons. Arrosez de bière et de bouillon et assaisonnez à votre goût.

4 Ajoutez le bouquet garni dans la sauteuse et déposez les rondelles de pommes de terre sur la viande de façon à la recouvrir complètement. Portez à ébullition puis baissez le feu, couvrez hermétiquement et laissez mijoter 1 h.

CONSEIL

Pour faciliter l'épluchage des oignons, mettez-les dans un bol et recouvrez-les d'eau bouillante. Laissez-les tremper 5 min et égoutter. Ils s'épluchent alors sans difficulté.

5 Ajoutez les champignons émincés sur les pommes de terre. Couvrez à nouveau et laissez frémir encore 30 min environ. Retirez la viande et les légumes à l'aide d'une écumoire et disposez-les sur le plat de service.

6 Mélangez le reste du beurre avec la farine pour faire un roux que vous ajoutez peu à peu dans le liquide de cuisson, tout en fouettant. Incorporez la moutarde. Faites cuire à feu moyen 2 à 3 min, en fouettant constamment, jusqu'à épaississement.

7 Assaisonnez la sauce et versez-la sur la viande. Garnissez le bœuf aux pommes de terre avec du thym haché et servez aussitôt.

VARIANTE

Pour un plat plus léger mais tout aussi savoureux, remplacez le bœuf par 4 tranches de gigot, la bière par du cidre sec, et le bouillon de bœuf par du bouillon de poulet.

PARMENTIER D'AGNEAU GRATINÉ

Les pommes de terre de ce hachis Parmentier sont relevées d'une pointe de moutarde.

Pour 4 personnes

INGRÉDIENTS

- 800 g de pommes de terre farineuses coupées en morceaux
- 500 g d'agneau maigre haché
- 4 cuil. à soupe de lait
- 1 cuil. à soupe de moutarde à l'ancienne
- 1 petit morceau de beurre
- 1 oignon haché
- 2 côtes de céleri finement émincées
- 2 carottes coupées en dés
- 2 cuil. à soupe de Maïzena diluée dans 15 cl de bouillon d'agneau
- 1 cuil. à soupe de sauce Worcestershire
- 2 cuil. à soupe de romarin frais haché ou 2 cuil. à café de romarin séché
- sel et poivre noir du moulin
- légumes frais, en accompagnement

1 Faites cuire les pommes de terre dans une grande casserole d'eau bouillante salée jusqu'à ce qu'elles soient tendres. Égouttez et écrasez pour obtenir une purée lisse. Incorporez le lait, la moutarde, le beurre et assaisonnez à votre goût. Préchauffez le four à 200 °C (th. 7).

2 Faites revenir l'agneau dans une poêle antiadhésive, en l'écrasant avec une fourchette, jusqu'à ce qu'il soit bien doré. Ajoutez l'oignon, le céleri et les carottes et laissez cuire 2 à 3 min, en remuant pour empêcher le mélange d'attacher.

3 Incorporez le bouillon et la Maïzena. Portez à ébullition en remuant constamment, puis retirez du feu. Ajoutez la sauce Worcestershire et le romarin, salez et poivrez à votre goût.

4 Mettez le mélange de viande dans un plat à four de 1,75 litre et recouvrez de purée en l'étalant uniformément et en formant des vagues. Faites cuire 30 à 35 min au four, le dessus doit être doré. Servez le parmentier d'agneau chaud avec des légumes frais.

VARIANTE

Bien que le hachis Parmentier original soit fait avec de l'agneau, la plupart des cuisiniers utilisent plutôt du bœuf. Pour varier, vous pouvez ajouter du raifort à la purée, conditionné en crème, ou fraîchement râpé.

CURRY D'AGNEAU ET DE POMMES DE TERRE NOUVELLES

Grâce à une cuisson douce et prolongée, cette recette tire le meilleur parti des bas morceaux de viande qui s'imprègnent des arômes du piment et du lait de coco.

Pour 4 personnes

INGRÉDIENTS

- 500 g de pommes de terre nouvelles coupées en deux
- 4 morceaux de collier d'agneau dégraissé
- 30 g de beurre
- 4 gousses d'ail écrasées
- 2 oignons émincés en anneaux
- 1/2 cuil. à café de chacune des épices suivantes : cumin en poudre, coriandre en poudre, curcuma et poivre de Cayenne
- 2 à 3 piments rouges épépinés et finement hachés
- 30 cl de bouillon de poulet bouillant
- 20 cl de lait de coco
- 6 tomates mûres coupées en quartiers
- sel et poivre noir du moulin
- feuilles de coriandre, en garniture
- riz épicé, en accompagnement

1 Préchauffez le four à 160 °C (th. 5). Faites fondre le beurre dans une grande cocotte pouvant aller au four, ajoutez l'ail et les oignons et laissez cuire à feu doux 15 min, ils doivent être dorés. Incorporez les épices et les piments, et laissez cuire encore 2 min.

2 Ajoutez le bouillon chaud et le lait de coco. Mettez la viande dans la cocotte et couvrez avec du papier d'aluminium. Faites cuire 2 h au four, en retournant deux fois la viande, après 1 h de cuisson, puis 30 min plus tard.

3 Faites cuire les pommes de terre à l'eau 10 min et mettez-les dans la cocotte avec les tomates. Laissez cuire encore 35 min au four, à découvert. Salez et poivrez et garnissez de feuilles de coriandre. Servez ce curry d'agneau avec du riz épicé.

CONSEIL

Préparez ce plat la veille. Laissez refroidir et mettez toute la nuit au réfrigérateur, puis retirez la graisse figée en surface. Réchauffez bien avant de servir.

GRATIN DE POMMES DE TERRE AU BŒUF, AUX CHAMPIGNONS ET À LA BETTERAVE

Cette variante d'un original mélange polonais de parfums donne un plat très généreux. Le raifort et la moutarde se marient très bien avec le bœuf et la betterave dissimulée sous le gratin : une surprise colorée pour les convives.

Pour 4 personnes

INGRÉDIENTS

- 500 g de steak à griller coupé en lanières fines
- 250 g de champignons assortis, sauvages ou cultivés, émincés
- 250 g de betterave cuite hachée
- 2 cuil. à soupe d'huile d'olive
- 1 petit oignon haché
- 1 cuil. à soupe de farine
- 15 cl de bouillon de légumes
- 1 cuil. à soupe de crème de raifort
- 1 cuil. à soupe de graines de carvi
- 3 échalotes ou 1 oignon moyen hachés
- 2 à 3 cuil. à café de moutarde forte
- 4 cuil. à soupe de crème fraîche acidulée avec un jus de citron
- 3 cuil. à soupe de persil frais haché

Pour la bordure de purée

- 1 kg de pommes de terre farineuses
- 15 cl de lait
- 25 g de beurre ou de margarine
- 1 cuil. à soupe d'aneth frais haché (facultatif)
- sel et poivre noir du moulin

1 Préchauffez le four à 190 °C (th. 6). Huilez légèrement un plat à four. Chauffez 1 cuillerée à soupe d'huile dans une grande sauteuse, ajoutez l'oignon et faites-le fondre sans le colorer. Incorporez la farine, retirez du feu et versez peu à peu le bouillon, en remuant jusqu'à obtention d'une sauce lisse.

2 Remettez sur le feu et laissez épaissir, en remuant constamment. Ajoutez la betterave (réservez quelques morceaux pour le dessus, si vous le désirez), le raifort et les graines de carvi. Mélangez délicatement et réservez.

3 Pour préparer la bordure, faites cuire les pommes de terre dans une grande casserole d'eau bouillante salée 20 min, jusqu'à ce qu'elles soient tendres. Égouttez bien et écrasez avec le lait et le beurre ou la margarine. Ajoutez éventuellement l'aneth haché et salez et poivrez à votre goût. Mélangez bien.

CONSEIL

Si vous prévoyez ce plat pour un dîner entre amis, vous pouvez le préparer entièrement à l'avance et le réchauffer avant de le servir. Comptez 50 min au four, à partir de la température ambiante. Ajoutez les quelques betteraves du dessus en fin de cuisson.

4 Versez la purée dans le plat à four et ramenez-la contre les côtés, en laissant un grand creux au centre pour la garniture. Versez la préparation à la betterave dans le creux, en l'égalisant avec le dos d'une cuillère.

5 Chauffez le reste de l'huile dans une grande poêle, ajoutez les échalotes ou l'oignon et faites-les fondre sans les colorer. Poêlez rapidement le steak des deux côtés. Mettez les champignons à suer brièvement. Retirez la poêle du feu et incorporez délicatement la moutarde, la crème fraîche acidulée, la moitié du persil, et assaisonnez.

6 Versez le mélange sur les betteraves dans le plat à four, en éparpillant les betteraves réservées sur le dessus. Couvrez et faites cuire 30 min au four. Servez le gratin très chaud, parsemé du reste du persil.

BŒUF BRAISÉ SOUS UNE GALETTE DE POMMES DE TERRE

Le bœuf à braiser est mis à mariner dans du vin rouge puis cuit longuement en cocotte avant d'être caché sous une galette de pommes de terre râpées, dorée et croustillante. Pour changer, vous pouvez émincer finement les pommes de terre au lieu de les râper et les poser sur le bœuf avec des rondelles d'oignons et de l'ail écrasé.

Pour 4 personnes

INGRÉDIENTS

- 700 g de bœuf à braiser coupé en morceaux
- 30 cl de vin rouge
- 3 baies de genévrier écrasées
- 1 morceau de zeste d'orange
- 2 cuil. à soupe d'huile d'olive
- 1 gousse d'ail écrasée
- 2 carottes coupées en morceaux
- 2 oignons coupés en morceaux
- 250 g de petits champignons de Paris
- 15 cl de bouillon de bœuf
- 2 cuil. à soupe de Maïzena
- sel et poivre noir du moulin

Pour la galette de pommes de terre

- 500 g de pommes de terre râpées
- 1 cuil. à soupe d'huile d'olive
- 2 cuil. à soupe de crème de raifort
- 50 g de cheddar vieux râpé
- sel et poivre noir du moulin

1 Mettez les morceaux de bœuf dans un récipient non métallique ; ajoutez le vin, les baies et le zeste d'orange et assaisonnez de poivre noir. Mélangez le tout, couvrez et laissez mariner au moins 4 h ou toute la nuit de préférence.

2 Préchauffez le four à 160 °C (th. 5). Égouttez les morceaux de bœuf en réservant la marinade.

3 Chauffez l'huile dans un grand faitout allant au four et faites dorer la viande 5 min, en plusieurs fois. Ajoutez l'ail, les carottes et les oignons, faites cuire 5 min. Incorporez les champignons, la marinade et le bouillon de bœuf. Laissez frémir.

4 Délayez la Maïzena dans de l'eau. Incorporez dans le faitout. Assaisonnez, couvrez et laissez cuire au four 1 h 30.

5 Confectionnez la galette de pommes de terre 30 min avant la fin de la cuisson du bœuf. Commencez par blanchir les pommes de terre râpées 5 min à l'eau bouillante. Égouttez bien et pressez-les dans vos mains pour extraire toute l'eau.

6 Incorporez le reste des ingrédients et étalez uniformément la galette sur la surface de la viande. Montez la température du four à 200 °C (th. 7) et laissez cuire encore 30 min, le dessus doit être croustillant et légèrement doré.

CONSEIL

Râpez les pommes de terre avec le disque râpe à gros trous du mixer et non avec une râpe fine. Elles garderont mieux leur forme quand vous les blanchirez.

VARIANTE

Vous pouvez remplacer le cheddar par tout autre fromage à pâte dure au goût prononcé, comme le comté, le gouda ou le cantal.

MOUSSAKA

Ce plat grec classique est constitué d'agneau, de pommes de terre et d'aubergines en couches alternées, le tout couronné d'un riche gratin au fromage.

Pour 6 personnes

INGRÉDIENTS

- 2 pommes de terre farineuses de conservation coupées en deux
- 700 g d'agneau maigre haché
- 2 cuil. à soupe d'huile d'olive
- 2 cuil. à soupe d'origan frais haché
- 1 gros oignon finement haché
- 1 grosse aubergine émincée
- 2 boîtes de 400 g de tomates concassées
- 3 cuil. à soupe de concentré de tomates
- 1 cube de bouillon d'agneau ou de bœuf
- 120 g de cheddar râpé
- 15 cl de crème liquide
- sel et poivre noir du moulin
- pain croustillant, en accompagnement

1 Préchauffez le four à 180 °C (th. 6). Chauffez l'huile d'olive dans une grande sauteuse à haut bord. Faites dorer l'origan et l'oignon 5 min à feu doux, en remuant souvent, ou jusqu'à ce que l'oignon soit fondu.

CONSEIL

Plus le plat que vous choisissez est grand, plus la moussaka cuira vite.

2 Ajoutez l'agneau et faites cuire 10 min, pour bien le dorer. Mettez les rondelles d'aubergine à griller 5 min, en les retournant une fois.

3 Incorporez les tomates et le concentré dans la poêle et émiettez le cube de bouillon sur la viande. Mélangez bien, salez et poivrez, et laissez mijoter encore 15 min, sans couvercle.

4 Faites cuire les pommes de terre dans de l'eau bouillante salée 5 à 10 min, jusqu'à ce qu'elles soient tout juste tendres. Égouttez et quand elles sont refroidies, émincez-les finement.

5 Alternez les rondelles d'aubergine, la viande hachée et les pommes de terre, dans un plat à four de 1,75 litre, en finissant par une couche de pommes de terre.

6 Mélangez le fromage et la crème liquide dans un bol et versez sur les ingrédients du plat. Faites cuire 45 à 50 min au four, jusqu'à ce que le dessus soit bouillonnant et doré. Servez la moussaka dans le plat, très chaude, avec du pain frais et croustillant.

VARIANTE

Si vous voulez d'autres légumes dans ce gratin, remplacez les pommes de terre par des rondelles de courgettes préalablement grillées comme les aubergines, puis couronnez le plat d'une couche de purée de pommes de terre bien assaisonnée, avant de verser la sauce. Pour rendre le plat encore plus riche, saupoudrez chaque couche d'aubergines de parmesan tout frais râpé.

RAGOÛT IRLANDAIS

Ce plat national irlandais est simple et délicieux. Les côtes de mouton de la recette traditionnelle étant difficiles à trouver, remplacez-les par des côtes d'agneau.

Pour 4 personnes

INGRÉDIENTS

4 grosses pommes de terre fermes coupées en morceaux
1,5 kg de côtes de mouton désossées
1 cuil. à soupe d'huile végétale
3 gros oignons coupés en morceaux
4 grosses carottes coupées en grosses rondelles
90 cl d'eau
1 gros brin de thym
1 noix de beurre
1 cuil. à soupe de persil frais haché
sel et poivre noir du moulin
chou de milan, en accompagnement (facultatif)

CONSEIL

Si vous ne trouvez pas de côtes désossées, prenez de l'épaule. Demandez au boucher de couper la viande en morceaux et de la dégraisser.

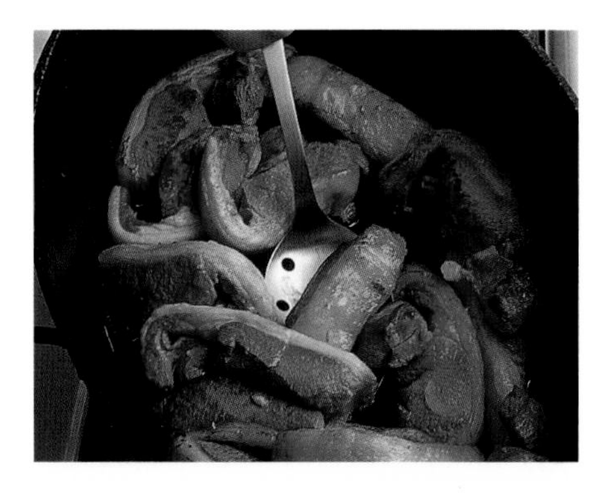

1 Dégraissez soigneusement l'agneau. Chauffez l'huile dans une cocotte, ajoutez l'agneau et faites dorer sur toutes les faces. Retirez de la cocotte.

2 Ajoutez les oignons et les carottes dans la cocotte et faites cuire 5 min pour bien dorer les oignons. Remettez l'agneau dans la cocotte avec l'eau. Salez et poivrez. Portez à ébullition puis baissez le feu, couvrez et laissez frémir 1 h.

3 Ajoutez les pommes de terre dans la cocotte avec le thym, couvrez à nouveau et laissez mijoter encore 1 h.

4 Laissez reposer quelques minutes. Dégraissez le liquide de cuisson avec une cuillère, puis versez-le dans une casserole. Portez à frémissement et incorporez le beurre puis le persil. Assaisonnez bien et reversez dans la cocotte. Servez ce ragoût avec, éventuellement, du chou de Milan cuit à l'eau ou à la vapeur.

AGNEAU ET POMMES DE TERRE RÔTIS DU MOYEN-ORIENT

Quand les convives humeront le parfum oriental de l'ail et du safran, ce délicieux agneau aillé ne durera pas très longtemps.

Pour 6 à 8 personnes

INGRÉDIENTS

500 g de pommes de terre émincées en tranches épaisses
1 gigot d'agneau de 2,8 kg
4 gousses d'ail partagées en deux
4 cuil. à soupe d'huile d'olive
le jus d'1 citron
2 à 3 filaments de safran trempés dans 1 cuil. à soupe d'eau bouillante
1 cuil. à café d'herbes séchées en mélange
2 gros oignons émincés en tranches épaisses
sel et poivre noir du moulin
thym frais, en garniture

1 Pratiquez 8 incisions dans l'agneau et insérez l'ail dans chacune d'elles. Mettez le gigot dans un plat non métallique.

2 Mélangez l'huile avec le jus de citron, le safran (avec son eau) et les herbes. Frottez l'agneau avec ce mélange et laissez mariner 2 h.

3 Préchauffez le four à 180 °C (th. 6). Alternez les pommes de terre et les oignons dans un grand plat à four. Sortez le gigot de son plat et posez-le sur les pommes de terre et les oignons, côté graisse vers le haut, assaisonnez.

4 Versez la marinade sur l'agneau et faites rôtir 2 h, en arrosant de temps à autre. Retirez du four, couvrez de papier d'aluminium et laissez reposer 10 à 15 min avant de découper. Garnissez de thym.

POULET AUX BOULETTES DE POMMES DE TERRE

Des blancs de poulet nappés de sauce crémeuse et couronnés de boulettes de pommes de terre aux herbes donnent un plat à la fois délicat et convivial.

Pour 6 personnes

INGRÉDIENTS

- 4 gros blancs de poulet
- 1 oignon haché
- 30 cl de bouillon de légumes
- 12 cl de vin blanc
- 30 cl de crème liquide
- 1 cuil. à soupe d'estragon frais haché
- sel et poivre noir du moulin

Pour les boulettes

- 250 g de pommes de terre de conservation, bouillies et réduites en purée
- 175 g de saindoux
- 120 g de farine avec levain incorporé
- 4 cuil. à soupe d'eau
- 2 cuil. à soupe d'herbes fraîches hachées, en mélange
- sel et poivre noir du moulin

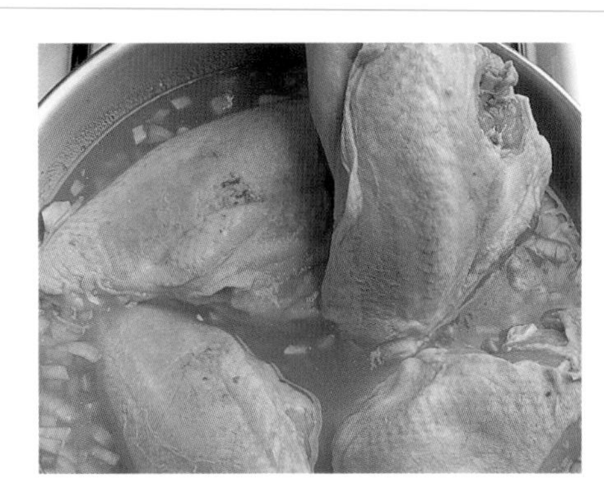

1 Mettez l'oignon, le bouillon et le vin dans une poêle à haut bord. Ajoutez le poulet et laissez frémir 20 min, sous couvercle.

2 Retirez le poulet du bouillon, coupez-le en morceaux et réservez. Passez le bouillon et jetez l'oignon. Faites réduire le bouillon d'1/3 à feu vif. Incorporez la crème liquide et l'estragon et laissez frémir jusqu'à ce que le mélange épaississe. Incorporez les morceaux de poulet, puis salez et poivrez.

3 Versez le mélange dans un plat à four de 1 litre.

4 Préchauffez le four à 190 °C (th. 6). Mélangez les ingrédients des boulettes et incorporez l'eau pour former une pâte souple. Divisez en six et formez en boulettes avec les mains farinées. Posez sur le poulet et faites cuire au four 30 min sans couvercle.

CONSEIL

Ne faites pas trop réduire la sauce avant de faire cuire le plat au four, les boulettes absorbant une bonne quantité de liquide.

BLANCS DE POULET FARCIS AUX ÉPINARDS ET AUX POMMES DE TERRE

Ce sont des blancs de poulet non désossés, fourrés d'un mélange d'épinards aux herbes, parsemés de beurre et cuits suffisamment longtemps pour qu'ils fondent dans la bouche.

Pour 6 personnes

INGRÉDIENTS

- 125 g de pommes de terre farineuses, coupées en morceaux
- 125 g de feuilles d'épinards hachées
- 4 gros blancs de poulet non désossés
- 1 œuf battu
- 2 cuil. à soupe de coriandre fraîche hachée
- 50 g de beurre

Pour la sauce

- 400 g de tomates concassées en boîte
- 1 gousse d'ail écrasée
- 15 cl de bouillon de poulet chaud
- 2 cuil. à soupe de coriandre fraîche hachée
- sel et poivre noir du moulin
- champignons poêlés, en accompagnement

1 Préchauffez le four à 180 °C (th. 6). Faites cuire les pommes de terre à l'eau bouillante salée, 15 min ou jusqu'à ce qu'elles soient tendres. Égouttez, mettez dans une grande jatte et écrasez grossièrement avec une fourchette.

2 Incorporez les épinards dans les pommes de terre avec l'œuf et la coriandre. Salez et poivrez à votre goût.

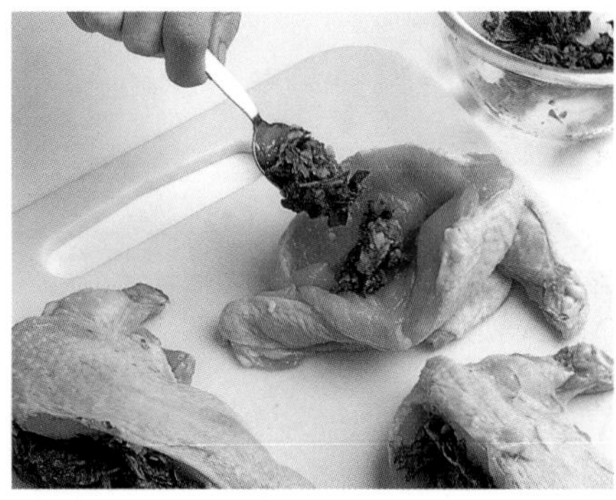

3 Fendez presque complètement les blancs de poulet pour les ouvrir en portefeuille. Versez la farce au centre et refermez la poche. Maintenez avec des pique-olives et placez dans un plat à four.

4 Parsemez de beurre et couvrez de papier d'aluminium. Faites cuire 25 min au four. Retirez l'aluminium et laissez cuire encore 10 min, le poulet doit être doré.

5 Préparez la sauce en chauffant les tomates, l'ail et le bouillon dans une casserole. Laissez bouillir à feu vif 10 min. Assaisonnez et ajoutez la coriandre. Retirez le poulet du four et servez-le avec la sauce et les champignons poêlés.

CONSEIL

Les jeunes feuilles d'épinards, moins amères, sont parfaites pour ce plat.

POULET AU FOUR

Autrefois, ce plat était cuit longuement sur le poêle, avec des oignons et du saindoux ou du beurre. Dans cette version, le lard et le poulet mijotent au four sous une couche de pommes de terre.

Pour 4 personnes

INGRÉDIENTS

- 1 kg de pommes de terre coupées en rondelles de 5 mm
- 4 cuisses de poulet, partagées en deux
- beurre pour graisser le plat
- 2 gros oignons finement émincés
- 1 cuil. à soupe de thym frais haché
- 25 g de beurre
- 1 cuil. à soupe d'huile végétale
- 2 grosses tranches de lard haché
- 60 cl de bouillon de poulet
- 1 feuille de laurier
- sel et poivre noir du moulin

CONSEIL

Vous pouvez remplacer les cuisses de poulet par 8 hauts de cuisses.

1 Préchauffez le four à 150 °C (th. 4). Disposez la moitié des pommes de terre en 1 couche épaisse dans le fond d'un grand plat à four beurré et recouvrez avec la moitié des oignons. Saupoudrez avec la moitié du thym et assaisonnez de sel et de poivre.

2 Chauffez le beurre et l'huile dans une grande poêle à fond épais, ajoutez le lard et le poulet, et faites dorer de tous côtés, en remuant souvent. Retirez le poulet et le lard à l'aide d'une écumoire et mettez-les dans le plat à four. Réservez la graisse de la poêle.

3 Éparpillez le reste du thym sur le poulet, salez et poivrez puis recouvrez avec le reste des tranches d'oignon, suivies par une couche de rondelles de pommes de terre, en les faisant se chevaucher. Assaisonnez abondamment.

4 Versez le bouillon sur les pommes de terre, ajoutez la feuille de laurier et nappez au pinceau avec la graisse réservée. Couvrez de papier d'aluminium et faites cuire 2 h au four jusqu'à ce que le poulet soit très tendre.

5 Préchauffez le gril. Retirez le papier d'aluminium et mettez sous le gril jusqu'à ce que les pommes de terre soient dorées et croustillantes. Retirez la feuille de laurier et servez ce plat brûlant.

CROQUETTES DE DINDE

Ces croquettes croustillantes de dinde fumée mélangée avec de la purée et des ciboules sont accompagnées d'une sauce tomate parfumée.

Pour 4 personnes

INGRÉDIENTS

- 500 g de pommes de terre farineuses coupées en morceaux
- 175 g de blanc de dinde fumée finement haché
- 3 œufs
- 2 cuil. à soupe de lait
- 2 ciboules finement émincées
- 120 g de chapelure blanche fraîche
- huile végétale pour friture

Pour la sauce

- 1 cuil. à soupe d'huile d'olive
- 1 oignon finement haché
- 400 g de tomates en boîte égouttées
- 2 cuil. à soupe de concentré de tomates
- 1 cuil. à soupe de persil frais haché
- sel et poivre noir du moulin

1 Faites cuire les pommes de terre à l'eau 20 min ou jusqu'à ce qu'elles soient tendres. Égouttez et faites sécher dans la casserole à feu doux.

2 Écrasez les pommes de terre avec 2 œufs et le lait. Assaisonnez de sel et de poivre. Incorporez la dinde et les ciboules. Mettez 1 h au frais.

3 Pendant ce temps, confectionnez la sauce en chauffant l'huile dans une poêle et en faisant fondre l'oignon 5 min. Ajoutez les tomates et le concentré, mélangez et laissez frémir 10 min. Incorporez le persil, salez et poivrez et réservez la sauce au chaud jusqu'à usage.

4 Retirez les pommes de terre du réfrigérateur et divisez en 8 portions. Formez chaque portion en croquette. Tournez dans 1 œuf battu puis dans la chapelure.

5 Chauffez l'huile végétale dans une casserole ou une bassine à friture, à 175 °C, et faites frire les croquettes 5 min, elles doivent être dorées et croustillantes. Servez avec la sauce.

CONSEIL

Pour savoir si l'huile est à bonne température, plongez 1 dé de pain dans le bain de friture. S'il s'enfonce, remonte et grésille en 10 s, l'huile est prête.

GRATIN DE POULET, DE POMMES DE TERRE ET DE CHAMPIGNONS

Un mélange de poulet, de légumes et de sauce, couronné de pommes de terre croustillantes, forme un plat complet et généreux.

Pour 4 à 6 personnes

INGRÉDIENTS

- 1 kg de pommes de terre finement émincées
- 4 gros blancs de poulet coupés en morceaux
- 250 g de champignons de Paris finement émincés
- 1 cuil. à soupe d'huile d'olive
- 1 poireau finement émincé en rondelles
- 50 g de beurre
- 4 cuil. à soupe rases de farine
- 50 cl de lait
- 1 cuil. à café de moutarde à l'ancienne
- 1 carotte coupée en très petits dés
- sel et poivre noir du moulin

1 Préchauffez le four à 180 °C (th. 6). Chauffez l'huile dans une grande casserole. Faites revenir le poulet 5 min jusqu'à ce qu'il soit bien doré. Ajoutez le poireau et laissez cuire encore 5 min.

2 Ajoutez la moitié du beurre dans la casserole et laissez-le fondre. Saupoudrez de farine et incorporez le lait. Faites cuire à feu doux jusqu'à ce que la sauce ait épaissi puis incorporez la moutarde.

3 Ajoutez la carotte et les champignons. Salez et poivrez.

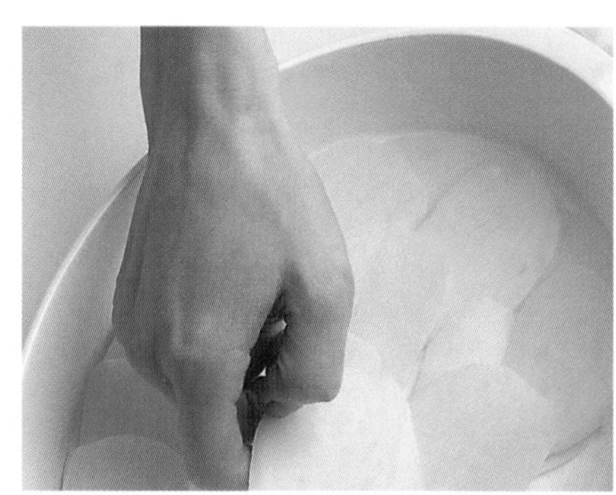

4 Recouvrez le fond d'un plat à four de 1,75 litre d'une couche de pommes de terre. Étalez 1/3 du mélange de poulet par-dessus. Recouvrez d'une autre couche de pommes de terre. Répétez le processus en finissant par les pommes de terre. Parsemez du reste du beurre.

5 Faites cuire 1 h 30 au four, en posant un papier d'aluminium sur le plat après 30 min de cuisson. Servez le gratin chaud.

CONSEIL

L'eau des champignons donne du moelleux au poulet et les pommes de terre absorbent l'excès de liquide.

CANARD RÔTI SUR LIT DE POMMES DE TERRE AU MIEL

La chair riche du canard associée aux pommes de terre enrobées de miel forme un plat excellent et original pour un repas entre amis ou pour une occasion particulière.

Pour 4 personnes

INGRÉDIENTS

- 3 grosses pommes de terre farineuses coupées en morceaux
- 1 caneton prêt à cuire
- 2 cuil. à soupe de miel liquide
- 4 cuil. à soupe de sauce de soja claire
- 15 cl de jus d'orange frais
- 1 cuil. à soupe de graines de sésame
- sel et poivre noir du moulin

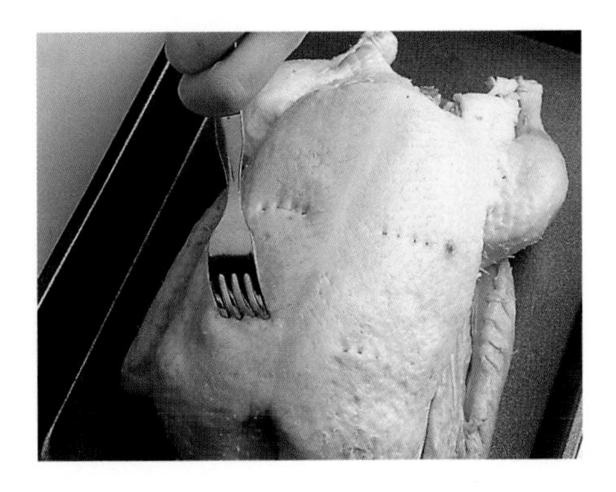

1 Préchauffez le four à 200 °C (th. 7). Mettez le caneton dans un plat à four. Piquez la peau en plusieurs endroits.

2 Mélangez la sauce de soja avec le jus d'orange et versez sur le caneton. Faites cuire 20 min.

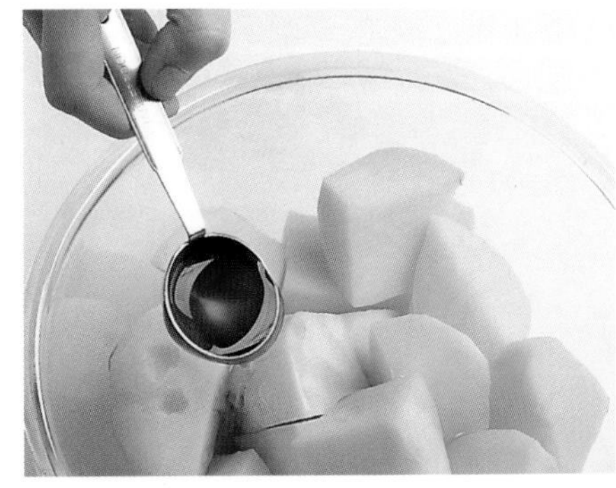

3 Mettez les pommes de terre dans une jatte et ajoutez le miel, mélangez bien. Retirez le caneton du four et répartissez les pommes de terre tout autour et sous le canard.

4 Faites rôtir 35 min et retirez du four. Tournez les pommes de terre dans le jus de cuisson pour que le dessous cuise, et retournez le canard. Remettez au four et laissez cuire encore 30 min.

5 Retirez du four et dégraissez soigneusement le jus de cuisson.

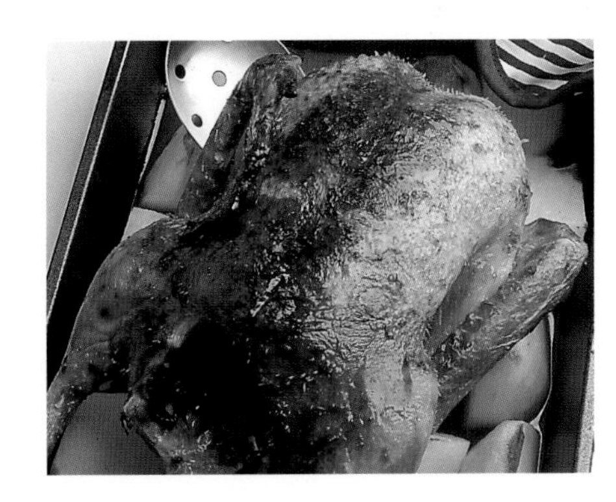

6 Éparpillez les graines de sésame sur les pommes de terre, assaisonnez et retournez à nouveau le caneton, poitrine vers le haut, laissez cuire encore 10 min. Retirez le canard et les pommes de terre du four et gardez au chaud, en laissant la volaille reposer quelques minutes.

7 Dégraissez le jus de cuisson et faites-le bouillir quelques minutes à feu doux. Découpez et servez, en arrosant canard et pommes de terre du jus de cuisson.

Plats de poissons

La cuisson du poisson étant très rapide, la plupart des recettes de ce chapitre utilisent des pommes de terre déjà cuites ou très finement émincées. Essayez la *Tentation de Jansson,* plat suédois classique constitué de pommes de terre allumettes, d'anchois et d'oignons. Le poisson, facile à « effeuiller », se mélange parfaitement avec la purée pour donner des terrines de poisson parfumées.

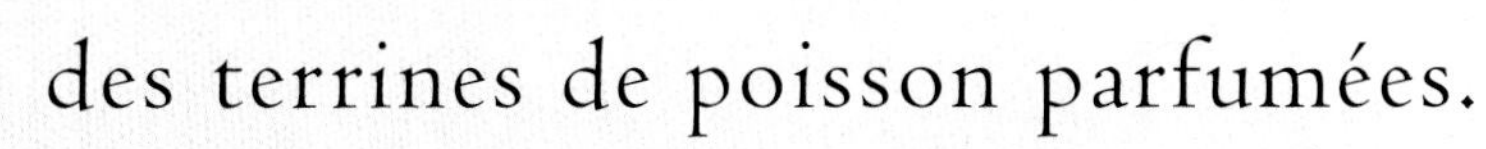

QUICHE AU SAUMON FUMÉ SUR PÂTE DE POMMES DE TERRE

Les ingrédients de cette quiche légère et parfumée se marient à la perfection avec la pâte fondante à base de pommes de terre.

Pour 6 personnes

INGRÉDIENTS

Pour le fond de tarte
- 125 g de pommes de terre farineuses coupées en petits morceaux
- 225 g de farine
- 120 g de beurre coupé en dés
- 1/2 œuf battu
- 2 cuil. à café d'eau froide

Pour la garniture
- 300 g de saumon fumé
- 6 œufs battus
- 15 cl de lait entier
- 30 cl de crème fraîche
- 2 à 3 cuil. à soupe d'aneth frais haché
- 2 cuil. à soupe de câpres hachées
- sel et poivre noir du moulin
- feuilles de salade et aneth frais haché, en accompagnement

1 Faites cuire les pommes de terre à l'eau salée dans une grande casserole, 15 min ou jusqu'à ce qu'elles soient tendres. Égouttez dans une passoire et remettez-les dans la casserole. Écrasez-les pour obtenir une purée lisse et laissez refroidir.

CONSEIL

Pour que le fond de tarte cuise bien, il est essentiel de préchauffer la plaque du four. Pour cette quiche, achetez des petites tranches de saumon fumé qui sont moins chères.

2 Mettez la farine dans une jatte et incorporez le beurre. Ajoutez les pommes de terre et l'œuf. Formez une boule, en ajoutant de l'eau froide si nécessaire.

3 Étalez la pâte sur une surface farinée et tapissez-en un moule à tarte à bord cannelé de 23 cm, à fond démontable. Mettez au frais 1 h.

4 Préchauffez le four à 200 °C (th. 7). Mettez une plaque dans le four pour la préchauffer. Hachez le saumon en petits morceaux et réservez.

5 Pour la garniture, battez les œufs avec le lait et la crème fraîche. Incorporez l'aneth et les câpres et assaisonnez de poivre. Ajoutez le saumon et mélangez.

6 Retirez le moule avec la pâte du réfrigérateur, piquez le fond et versez la garniture dans le fond de tarte. Faites cuire sur la plaque chaude 35 à 45 min. Servez la quiche chaude avec la salade et de l'aneth.

VARIANTE

Avec les quantités indiquées, vous pouvez aussi faire 6 quiches individuelles, parfaites pour un déjeuner rapide ou une entrée. Préparez-les comme indiqué ci-dessus, mais réduisez le temps de cuisson de 15 min environ. Pour donner plus de goût, saupoudrez de parmesan frais finement râpé avant de mettre les quiches au four.

PARMENTIER DE MORUE AU BASILIC ET À LA TOMATE

Le poisson nature et le poisson fumé se marient ici avec la tomate et le basilic. Accompagné d'une salade verte, le plat est parfait pour le déjeuner ou le dîner.

2 Faites fondre la moitié du beurre dans une grande casserole, ajoutez l'oignon et laissez fondre 5 min environ, sans le faire brunir. Saupoudrez de farine et de la moitié du basilic haché. Versez peu à peu le jus de cuisson du poisson, en ajoutant un peu de lait si nécessaire pour donner une sauce assez liquide, et en remuant constamment pour obtenir une consistance bien lisse. Portez à ébullition, salez et poivrez et incorporez le reste du basilic.

3 Retirez la casserole du feu, puis ajoutez le poisson et les tomates et mélangez délicatement. Versez dans un plat à four.

Pour 8 personnes

INGRÉDIENTS

- 12 pommes de terre farineuses moyennes
- 1 kg de morue fumée
- 1 kg de filet de cabillaud
- 4 tomates olivettes fermes, pelées et hachées
- 90 cl de lait
- 1,2 l d'eau
- 2 brins de basilic
- 1 brin de thym-citron
- 150 g de beurre
- 1 oignon haché
- 75 g de farine
- 2 cuil. à soupe de basilic frais haché
- sel et poivre noir du moulin
- grains de poivre noir écrasés, en garniture
- feuilles de laitue, en accompagnement

1 Mettez les 2 sortes de poissons dans un plat à four avec 60 cl de lait, l'eau et les herbes. Portez à frémissement, puis laissez cuire à feu doux 3 à 4 min. Laissez le poisson refroidir dans le liquide pendant 20 min environ. Égouttez le poisson en réservant le liquide de cuisson pour la sauce. Effeuillez le poisson, en retirant la peau et les arêtes.

4 Préchauffez le four à 180 °C (th. 6). Faites cuire les pommes de terre à l'eau jusqu'à ce qu'elles soient tendres. Égouttez et ajoutez le reste du beurre et le lait, écrasez en purée. Assaisonnez et versez sur le poisson. (Vous pouvez congeler le Parmentier à ce stade.) Faites cuire 30 min au four, le dessus doit être doré. Parsemez de grains de poivre écrasés et servez chaud avec la salade.

PARMENTIER DE POISSON CLASSIQUE

À l'origine, c'était la « pêche du jour » qui se retrouvait dans le Parmentier de poisson. Aujourd'hui, on peut choisir le poisson que l'on préfère ou le meilleur rapport qualité/prix.

Pour 4 personnes

INGRÉDIENTS

- 500 g de pommes de terre farineuses
- 500 g de poissons en mélange : morue, lieu, ou filets de saumon et crevettes roses épluchées
- le zeste finement râpé d'1 citron
- 25 g de beurre, plus un peu pour graisser le plat
- sel et poivre noir du moulin
- 1 œuf battu

Pour la sauce

- 1 noix de beurre
- 1 cuil. à soupe de farine
- 15 cl de lait

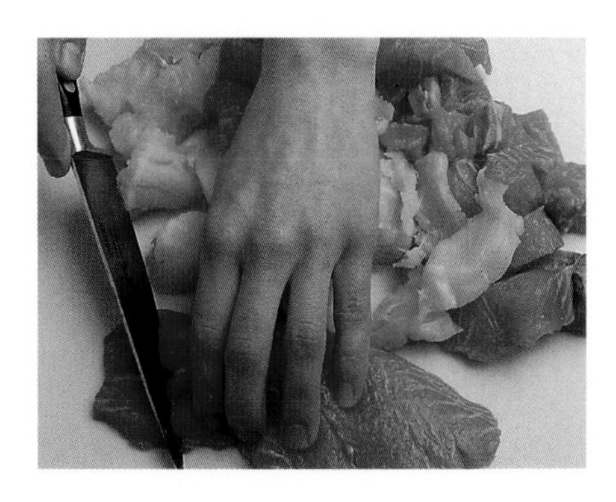

1 Préchauffez le four à 220 °C (th. 8). Graissez un plat à four et réservez. Coupez le poisson en morceaux de la grosseur d'une bouchée. Assaisonnez, parsemez de zeste de citron et mettez dans le fond du plat préparé. Laissez macérer pendant que vous préparez le dessus.

2 Faites cuire les pommes de terre à l'eau salée jusqu'à ce qu'elles soient tendres.

3 Pour la sauce, faites fondre le beurre dans une casserole, ajoutez la farine et laissez cuire quelques minutes en remuant. Retirez du feu et ajoutez le lait peu à peu, en fouettant. Remettez sur le feu et portez à ébullition, puis baissez le feu et laissez frémir, en fouettant constamment, jusqu'à ce que la sauce soit épaisse et lisse. Ajoutez le persil et assaisonnez à votre goût. Versez sur le poisson.

4 Égouttez les pommes de terre puis écrasez-les avec le beurre.

5 Posez les pommes de terre à la cuillère ou à la poche à douille sur le poisson. Dorez à l'œuf battu. Faites cuire 45 min afin que le dessus soit doré. Servez chaud.

CONSEIL

Le poisson surgelé doit d'abord être parfaitement décongelé et séché.

GRATIN DE THON AU MASCARPONE

Ce plat complet, parfait pour un repas décontracté entre amis, associe le goût légèrement fumé du thon grillé à la sauce à l'italienne parfumée.

Pour 4 personnes

INGRÉDIENTS

- 3 grosses pommes de terre
- 4 steaks de thon de 175 g chacun
- 250 g de mascarpone
- 400 g de tomates concassées en boîte, égouttées
- 2 gousses d'ail écrasées
- 2 cuil. à soupe de basilic frais
- 25 g de beurre coupé en dés
- sel et poivre noir du moulin

VARIANTE

Sans le thon, ce plat peut devenir un simple accompagnement.

1 Préchauffez le four à 200 °C (th. 7). Chauffez un gril sur le feu et saisissez les steaks de thon 2 min de chaque côté, en assaisonnant d'un peu de poivre noir. Réservez pendant que vous préparez la sauce.

2 Mélangez dans une jatte les tomates avec l'ail, le basilic et le mascarpone et assaisonnez à votre goût.

3 Râpez la moitié des pommes de terre et coupez le reste en dés. Faites blanchir séparément 3 min à l'eau salée. Égouttez.

4 Graissez un plat à four de 1,75 litre. Versez de la sauce et des pommes de terre râpées dans le plat. Ajoutez le thon, le reste de la sauce et des pommes de terre râpées. Parsemez de beurre et de dés de pommes de terre. Faites cuire le gratin 30 min.

GRATIN DE POMMES DE TERRE AUX MOULES FUMÉES

Cette recette demande des moules fumées, à la texture crémeuse et au parfum intense, délicieuses avec de la crème fraîche acidulée avec un jus de citron, et de la ciboulette.

Pour 4 personnes

INGRÉDIENTS

- 2 grosses pommes de terre coupées en deux
- 2 boîtes de moules fumées à l'huile de 90 g chacune
- beurre pour graisser le plat
- 2 échalotes coupées en petits dés
- 1 botte de ciboulette ciselée
- 30 cl de crème fraîche acidulée avec un jus de citron
- 175 g de cheddar vieux, râpé
- sel et poivre noir du moulin
- légumes variés, en accompagnement

CONSEIL

Lors d'un dîner entre amis, plutôt que de présenter ce gratin directement dans le plat à four, découpez des ronds avec un emporte-pièce et servez sur un lit de salade.

1 Préchauffez le four à 180 °C (th. 6). Faites cuire les pommes de terre dans une grande casserole d'eau bouillante légèrement salée, 15 min, jusqu'à ce qu'elles soient tendres. Égouttez et laissez un peu refroidir. Coupez les pommes de terre en rondelles régulières de 3 mm d'épaisseur.

2 Graissez le fond et les côtés d'un plat à four de 1,2 litre. Étalez une partie des pommes de terre sur le fond du plat. Parsemez d'un peu d'échalotes et assaisonnez généreusement.

3 Égouttez les moules au-dessus d'un bol et réservez l'huile. Émincez les moules et ajoutez-les à l'huile réservée. Incorporez la ciboulette, la crème acidulée et la moitié du fromage. Versez un peu de cette sauce sur les pommes de terre du plat.

4 Continuez à monter les couches de pommes de terre, échalotes et sauce. Finissez avec 1 couche de pommes de terre et éparpillez le reste du fromage.

5 Faites cuire 30 à 45 min au four. Retirez du four et servez le gratin très chaud, accompagné de légumes variés.

GRATIN DE HADDOCK ET DE POMMES DE TERRE

Le haddock au goût prononcé est de l'églefin fumé, de la famille des morues. Par le procédé du fumage, l'églefin blanc crème devient du haddock jaune orangé.

Pour 4 personnes

INGRÉDIENTS

- 500 g de pommes de terre nouvelles
- 500 g de filets de haddock
- 50 cl de lait demi-écrémé
- 2 feuilles de laurier
- 1 oignon coupé en quartiers
- 4 clous de girofles
- beurre pour graisser le plat
- 2 cuil. à soupe de Maïzena
- 4 cuil. à soupe de crème fraîche
- 2 cuil. à soupe de cerfeuil frais haché
- sel et poivre noir du moulin
- légumes variés, en accompagnement

VARIANTE

Vous pouvez remplacer la moitié du haddock par de l'églefin frais. Faites cuire les 2 sortes de poissons comme indiqué à l'étape 1. Des crevettes roses épluchées (1 bonne poignée) rendront le plat encore plus savoureux.

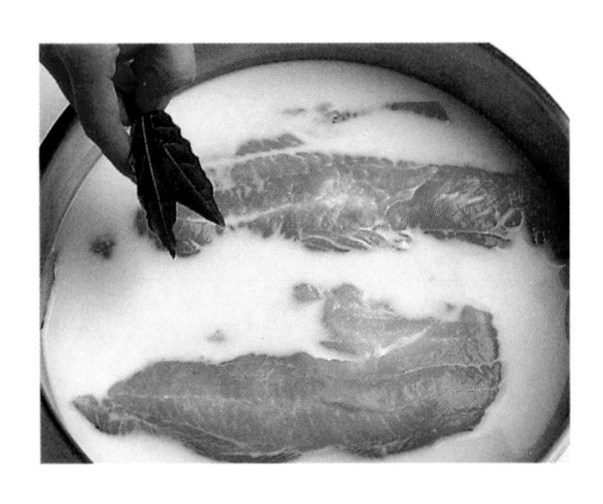

1 Préchauffez le four à 200 °C (th. 7). Mettez le haddock dans une poêle à haut bord. Arrosez de lait et ajoutez les feuilles de laurier.

2 Piquez l'oignon avec les clous de girofle et mettez dans la poêle avec le poisson et le lait. Couvrez et laissez frémir 10 min environ, le poisson doit commencer à s'effeuiller.

3 Retirez le poisson de la casserole à l'aide d'une écumoire et laissez refroidir. Passez le liquide de cuisson dans une autre casserole et réservez.

4 Coupez les pommes de terre en rondelles fines, en laissant la peau.

5 Faites blanchir les pommes de terre 5 min dans une grande casserole d'eau bouillante salée. Égouttez.

6 Graissez le fond et les côtés d'un plat à four de 1,2 litre. Avec une fourchette et un couteau, détachez délicatement la chair de la peau du poisson.

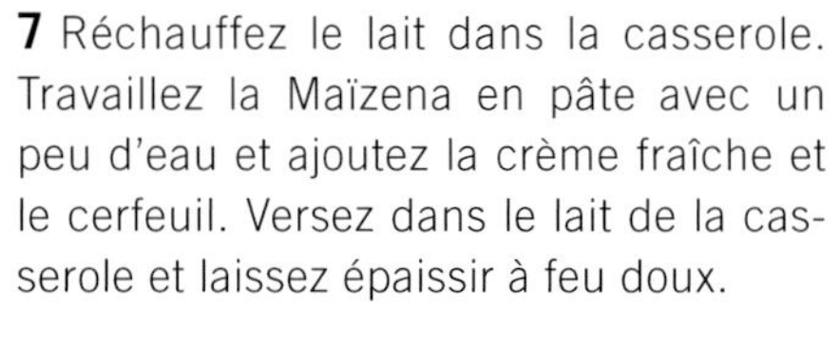

7 Réchauffez le lait dans la casserole. Travaillez la Maïzena en pâte avec un peu d'eau et ajoutez la crème fraîche et le cerfeuil. Versez dans le lait de la casserole et laissez épaissir à feu doux.

8 Disposez 1/3 des pommes de terre sur le fond du plat et assaisonnez de poivre. Posez la moitié du poisson sur les pommes de terre. Continuez ainsi en terminant par 1 couche de pommes de terre.

9 Versez la sauce sur le dessus en la faisant pénétrer à travers les pommes de terre. Recouvrez de papier d'aluminium et faites cuire 30 min au four. Retirez le papier d'aluminium et laissez cuire encore 10 min pour dorer le dessus. Servez le gratin avec des légumes variés.

CONSEIL

Comme le poisson rend de l'eau en cuisant, faites une sauce assez épaisse.

MOULES ET POMMES DE TERRE AU FOUR

Ce gratin évoque les saveurs de l'Italie : tomates, ail, basilic et, bien entendu, les moules grasses et juteuses.

Pour 2 à 3 personnes

INGRÉDIENTS

- 250 g de petites pommes de terre fermes
- 750 g de grosses moules dans leur coquille
- 5 cuil. à soupe d'huile d'olive
- 2 gousses d'ail finement hachées
- 8 feuilles de basilic frais, déchirées en morceaux
- 2 tomates moyennes pelées et finement émincées
- 3 cuil. à soupe de chapelure
- poivre noir du moulin
- feuilles de basilic, en garniture

1 Grattez et nettoyez les moules sous l'eau courante froide. Jetez toutes celles qui sont cassées ou restent ouvertes.

2 Mettez les moules dans une grande casserole avec 1 verre d'eau, et cuisez à feu modéré. Dès qu'elles sont ouvertes, retirez-les. Retirez et jetez une moitié de la coquille en laissant le mollusque dans l'autre moitié. Jetez les moules restées fermées. Filtrez le liquide de cuisson à travers du papier absorbant et réservez-le.

3 Faites cuire les pommes de terre dans une grande casserole d'eau bouillante jusqu'à ce qu'elles soient presque tendres. Égouttez et laissez refroidir. Quand elles sont assez refroidies pour ne pas vous brûler, épluchez-les et émincez-les.

4 Préchauffez le four à 180 °C (th. 6). Enduisez le fond d'un plat à four peu profond avec 2 cuillerées à soupe d'huile d'olive. Étalez 1 couche de pommes de terre dans le plat. Ajoutez les moules dans leur demi-coquille. Parsemez d'ail et de basilic. Recouvrez de rondelles de tomates, sur 1 seule couche.

5 Parsemez de chapelure et de poivre noir, arrosez avec le liquide de cuisson réservé et le reste de l'huile d'olive. Faites cuire 20 min au four, les tomates doivent être fondantes et la chapelure dorée. Servez chaud, directement dans le plat, et garnissez de basilic.

FILET DE MORUE ET POMMES DE TERRE AU FOUR

La cuisson au four convient particulièrement au filet de morue. Les herbes rehaussent sa saveur subtile et le jus de cuisson imprègne les pommes de terre placées sous le poisson.

Pour 4 personnes

INGRÉDIENTS

- 2 grosses pommes de terre émincées
- 1 kg de filet de morue, sans peau, coupé en 4 morceaux
- 60 cl d'eau ou de bouillon de poisson
- 1 petit bouquet d'aneth
- 1 petit poireau effilé
- 50 g de beurre
- huile d'olive, pour arroser le poisson
- sel et poivre noir du moulin

Pour la sauce

- 15 cl de crème liquide
- poireau ciselé et aneth ciselé, en garniture

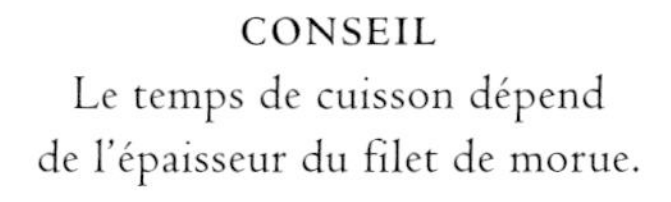

CONSEIL

Le temps de cuisson dépend de l'épaisseur du filet de morue.

1 Préchauffez le four à 200 °C (th. 7). Faites cuire les pommes de terre à l'eau ou au bouillon 7 à 10 min. Égouttez et réservez le bouillon.

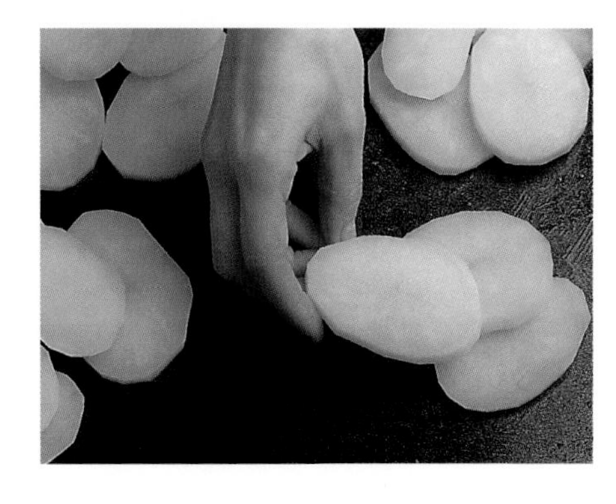

2 Assaisonnez la morue. Divisez les pommes de terre en 4 portions. Disposez-les en éventail dans un plat à four beurré antiadhésif (gardez 4 rondelles).

3 Assaisonnez les pommes de terre et ciselez un peu d'aneth sur chaque éventail (réservez-en un peu pour la sauce). Parsemez de la moitié des poireaux et ajoutez 1 noix de beurre.

4 Posez les morceaux de poisson sur les pommes de terre. Parsemez du reste des poireaux et disposez 1 rondelle de pomme de terre sur chaque poisson. Arrosez d'huile d'olive. Faites cuire 15 à 20 min au four, à découvert.

5 Pour la sauce, faites bouillir le bouillon réservé à feu vif pendant 10 min, pour le réduire des deux tiers. Incorporez la crème liquide et le reste de l'aneth. Laissez bouillir encore 5 min pour épaissir la sauce.

6 Retirez le poisson du four et garnissez-le avec de l'aneth et des poireaux. Mettez chaque portion sur une assiette et servez avec la sauce.

TENTATION DE JANSSON

Voici l'un des plats les plus célèbres de Suède. Les pommes de terre, alternées avec des anchois et des oignons et cuites au four dans la crème, s'imprègnent de merveilleux arômes.

Pour 6 personnes

INGRÉDIENTS

- 1 kg de pommes de terre
- 2 très gros oignons
- 2 à 3 boîtes de filets d'anchois
- poivre noir du moulin
- 15 cl de crème liquide
- 25 g de beurre coupé en petits dés, plus un peu pour graisser le plat
- 15 cl de crème épaisse

CONSEIL

Pour faire des portions individuelles, empilez tous les ingrédients, sauf la crème épaisse, sur de grands carrés de papier d'aluminium beurré. Rassemblez les 4 côtés. Faites cuire 40 min au four puis terminez la recette comme indiqué à l'étape 4.

1 Préchauffez le four à 220 °C (th. 8). Pelez les pommes de terre et coupez-les en allumettes. Émincez les oignons.

2 Graissez un plat à four de 1,75 litre. Étalez la moitié des pommes de terre et des oignons. Égouttez les anchois en réservant l'huile et mettez les filets dans le plat. Terminez par le reste des pommes de terre et des oignons. Assaisonnez.

3 Mélangez l'huile des anchois et la crème liquide. Versez sur les pommes de terre. Parsemez la surface de beurre.

4 Recouvrez de papier d'aluminium en fermant hermétiquement. Faites cuire 1 h au four. Retirez du four, goûtez et rectifiez éventuellement l'assaisonnement. Arrosez de crème épaisse et servez aussitôt.

BOUQUETS AUX POMMES DE TERRE À L'INDONÉSIENNE

Association rafraîchissante de bouquets et de pommes de terre finement émincées, ce plat à l'indonésienne avec sa sauce satay *est riche et nourrissant.*

Pour 4 personnes

INGRÉDIENTS

- 2 grosses pommes de terre à chair ferme
- 500 g de bouquets (crevettes roses) épluchés
- 12 cl d'huile végétale
- 1 botte de ciboules finement émincées
- 2 piments rouges épépinés et coupés en dés
- 3 cuil. à soupe de beurre de cacahuètes croquant
- 20 cl de crème de noix de coco
- 1 cuil. à soupe de sauce de soja
- 1 bouquet de coriandre fraîche hachée
- sel

VARIANTE

Pour une version plus luxueuse, remplacez les crevettes par des langoustines.

1 Faites cuire les pommes de terre 15 min à l'eau bouillante légèrement salée. Égouttez et laissez refroidir, puis coupez en rondelles de 3 mm. Chauffez l'huile dans une poêle et faites frire les pommes de terre 10 min, en les retournant, afin qu'elles dorent. Égouttez sur du papier absorbant et gardez au chaud.

2 Videz presque toute l'huile de la poêle et faites dorer 1 min les ciboules et la moitié des piments. Ajoutez les crevettes et mélangez quelques secondes.

3 Battez ensemble le beurre de cacahuètes, la crème de coco, la sauce de soja et le reste du piment. Ajoutez cette sauce aux crevettes et faites cuire encore 1 à 2 min pour bien réchauffer le tout.

4 Graissez légèrement un grand plat ovale et disposez les pommes de terre dans le fond régulièrement. Versez le mélange de crevettes sur les pommes de terre, en les dissimulant. Terminez par la coriandre.

Plats végétariens

Donnez à la pomme de terre en robe des champs classique une nouvelle jeunesse avec toutes sortes de garnitures originales. Jouez avec les gratins, ajoutez des pommes de terre aux ragoûts de légumes ou aux pizzas. De nombreux pays possèdent des spécialités végétariennes, comme les *Pommes de terre et tomates grecques au four,* où les pommes de terre cuisent lentement avec l'ail et les tomates gorgées de soleil de la Méditerranée.

CROQUETTES DE POMMES DE TERRE ET DE CHOU

Ces croquettes, que l'on faisait autrefois le lundi avec les restes de pommes de terre et de chou du déjeuner dominical, sont vite préparées et parfaites pour un repas léger ou pour un brunch, avec des œufs sur le plat, des tomates et des champignons grillés.

Pour 4 personnes

INGRÉDIENTS

- 500 g de pommes de terre en purée
- 250 g de chou cuit à l'eau ou à la vapeur, émincé
- 1 œuf battu
- 125 g de cheddar râpé
- muscade râpée
- farine, pour fariner les chaussons
- huile végétale pour friture
- sel et poivre noir du moulin
- laitue, en accompagnement

CONSEIL

Si vous voulez donner plus de goût à vos croquettes, remplacez le cheddar par un fromage bleu, comme le roquefort ou le gorgonzola.

1 Mélangez les pommes de terre avec le chou, l'œuf, le cheddar, la muscade et l'assaisonnement. Divisez la préparation et formez 8 croquettes.

2 Mettez au frais 1 h, si possible, pour raffermir les croquettes et les rendre plus faciles à frire. Farinez bien, en secouant l'excès de farine.

3 Chauffez 1 cm d'huile dans une poêle, elle doit être très chaude. En plusieurs fois, plongez les croquettes dans l'huile et faites frire 3 min de chaque côté ; elles doivent être dorées et croustillantes.

4 Retirez les croquettes de la poêle et égouttez sur du papier absorbant. Servez-les brûlantes, avec de la salade.

PIZZA AUX POMMES DE TERRE ET À LA MOZZARELLA

Pommes de terre nouvelles, mozzarella fumée et ail forment une pizza originale et délicieuse. Vous pouvez ajouter de la saucisse fumée pour la rendre encore plus nourrissante.

Pour 2 à 3 personnes

INGRÉDIENTS

- 350 g de petites pommes de terre nouvelles
- 150 g de mozzarella râpée
- 2 gousses d'ail écrasées
- 3 cuil. à soupe d'huile d'olive
- 1 fond de pizza de 25 à 30 cm de diamètre
- 1 oignon rouge finement émincé
- 2 cuil. à café de romarin frais haché (ou de sauge)
- sel et poivre noir du moulin
- 2 cuil. à soupe de parmesan fraîchement râpé, en garniture

1 Préchauffez le four à 220 °C (th. 8). Faites cuire les pommes de terre 5 min à l'eau salée. Égouttez bien et laissez refroidir. Pelez et émincez finement.

2 Chauffez 2 cuillerées à soupe d'huile dans une poêle. Ajoutez les pommes de terre émincées et l'ail et faites cuire 5 à 8 min, en les tournant souvent.

3 Enduisez le fond de pizza avec le reste de l'huile. Étalez les oignons sur le dessus, puis les pommes de terre.

4 Parsemez de mozzarella et de romarin ou de sauge, poivrez abondamment. Faites cuire 15 à 20 min au four, le dessus doit être doré. Retirez la pizza du four, saupoudrez de parmesan et de poivre.

POMMES DE TERRE AU FOUR AUX TROIS GARNITURES

Des pommes de terre cuites au four jusqu'à ce qu'elles soient croquantes à l'extérieur et moelleuses à l'intérieur forment un excellent repas à elles seules. Mais pour les rendre encore plus appétissantes, ajoutez l'une de ces délicieuses garnitures.

Pour 4 personnes

INGRÉDIENTS

- 4 pommes de terre moyennes pour cuisson au four
- huile d'olive
- sel marin
- garniture de votre choix *(voir ci-dessous)*

CONSEILS

Choisissez des pommes de terre de grosseur égale et nettoyez-les sous l'eau. Si elles sont cuites avant que vous soyez prêt à les servir, sortez-les du four et enveloppez-les dans un torchon chaud en attendant.

1 Préchauffez le four à 200 °C (th. 7). Incisez les pommes de terre en croix et frottez toute la surface d'huile d'olive.

2 Posez sur une plaque à pâtisserie et faites cuire 45 min à 1 h au four, un couteau piqué au centre doit les traverser facilement. Vous pouvez aussi les faire cuire au four à micro-ondes, en suivant les instructions du fabricant.

3 Ouvrez les pommes de terre et faites sortir la chair. Assaisonnez et remplissez avec la garniture de votre choix.

Légumes poêlés

- 3 cuil. à soupe d'huile d'arachide ou de tournesol
- 2 poireaux finement émincés
- 2 carottes coupées en bâtonnets
- 1 courgette finement émincée
- 125 g de mini-épis de maïs coupés en deux
- 125 g de champignons émincés
- 3 cuil. à soupe de sauce de soja
- 2 cuil. à soupe de xérès ou de vermouth
- 1 cuil. à soupe d'huile de sésame
- graines de sésame, en garniture

Chauffez l'huile dans un wok ou une grande poêle, elle doit être très chaude. Mettez les poireaux, les carottes, la courgette et les épis de maïs à sauter 2 min, puis ajoutez les champignons et poêlez encore 1 min. Mélangez la sauce de soja avec le xérès ou le vermouth et l'huile de sésame et versez sur les légumes. Chauffez jusqu'au premier bouillon et parsemez de graines de sésame.

Haricots rouges pimentés

- 425 g de haricots rouges en boîte égouttés
- 200 g de fromage blanc
- 2 cuil. à soupe de sauce pimentée pas trop forte
- 1 cuil. à café de cumin en poudre

Chauffez les haricots dans une casserole et incorporez le fromage blanc, la sauce pimentée et le cumin. Garnissez-en les pommes de terre et servez en arrosant le tout de sauce pimentée.

Maïs au fromage

- 450 g de maïs en boîte réduit en purée
- 125 g de fromage à pâte dure râpé
- 1 cuil. à café d'herbes séchées en mélange
- brins de persil frais, en garniture

1 Chauffez le maïs avec le fromage et les herbes en mélangeant bien.

2 Remplissez les pommes de terre avec la préparation et garnissez de brins de persil frais.

TRUFFADE

Très fondant, ce gratin de pommes de terre au fromage est nourrissant. Originaire des pays de montagne, il s'accommode des fromages à pâte dure locaux tels que cantal, tomme de Savoie, gruyère, etc.

Pour 4 à 6 personnes

INGRÉDIENTS

700 g de pommes de terre farineuses, très finement émincées
un peu d'huile de tournesol ou de beurre fondu
1 gros oignon finement émincé
150 g de fromage à pâte dure râpé : tomme, cantal ou comté
muscade râpée
sel et poivre noir du moulin
feuilles de salade en mélange, en accompagnement

VARIANTE

Vous obtiendrez une version non végétarienne de ce plat en lui ajoutant des lardons fumés, le fromage étant alors coupé en dés et non râpé. Les ingrédients sont mélangés et cuits longuement dans une cocotte sur la plaque de cuisson, avec un peu de saindoux.

1 Préchauffez le four à 180 °C (th. 6). Graissez légèrement le fond d'un plat à four peu profond avec l'huile ou le beurre fondu.

2 Disposez 1 couche d'oignons sur le fond du plat, puis ajoutez 1 couche de pommes de terre et saupoudrez de fromage. Finissez par 1 couche de pommes de terre.

3 Passez un peu d'huile ou de beurre fondu sur les pommes de terre et assaisonnez de muscade, sel et poivre.

4 Parsemez du reste du fromage. Faites cuire 1 h jusqu'à ce que les légumes soient tendres et le dessus doré. Laissez reposer environ 5 min, puis servez la truffade en parts avec de la salade.

GRATIN DE POMMES DE TERRE AUX TOMATES

Ce plat du sud de l'Italie est meilleur à la saison des tomates, quand elles sont gorgées de soleil, mais vous pouvez aussi le préparer avec des tomates en boîte.

Pour 6 personnes

INGRÉDIENTS

1 kg de pommes de terre farineuses finement émincées
450 g de tomates fraîches, ou en boîte avec leur jus
2 gros oignons jaunes ou rouges finement émincés
6 cuil. à soupe d'huile d'olive
125 g de parmesan fraîchement râpé
quelques feuilles de basilic frais
4 cuil. à soupe d'eau
sel et poivre noir du moulin

1 Préchauffez le four à 180 °C (th. 6). Huilez généreusement d'huile d'olive un grand plat à four (réservez-en un peu pour le dessus du gratin).

2 Étalez une partie des oignons dans le fond du plat, puis une partie des pommes de terre et des tomates, en les alternant pour rendre le plat plus coloré. Arrosez avec un peu d'huile et éparpillez une partie du fromage. Assaisonnez de sel et de poivre noir du moulin.

3 Continuez à monter les légumes dans le plat, en terminant par 1 couche de pommes de terre et de tomates se chevauchant. Ciselez les feuilles de basilic et éparpillez-les sur les légumes, en en gardant quelques-unes pour la garniture. Saupoudrez le dessus avec le reste du fromage râpé et arrosez du reste d'huile.

4 Versez l'eau sur le plat. Faites cuire 1 h au four, jusqu'à ce que les légumes soient tendres.

5 Vérifiez le gratin en fin de cuisson et, si le dessus commence à brûler, couvrez avec une feuille de papier d'aluminium ou de papier cuisson. Lorsqu'il est cuit, garnissez le gratin avec le reste du basilic et servez-le chaud.

RAGOÛT DE POMMES DE TERRE À LA TURQUE

Voici un plat complet, véritable repas à lui tout seul, légèrement épicé et largement aillé, capable de nourrir de nombreux convives.

Pour 4 personnes

INGRÉDIENTS

- 500 g de pommes de terre nouvelles coupées en dés
- 4 cuil. à soupe d'huile d'olive
- 1 gros oignon haché
- 2 petites ou moyennes aubergines coupées en petits dés
- 4 courgettes coupées en petits morceaux
- 1 poivron vert épépiné et haché
- 1 poivron rouge ou jaune épépiné et haché
- 125 g de petits pois frais ou surgelés
- 125 g de haricots verts
- 1/2 cuil. à café de cannelle
- 1/2 cuil. à café de cumin en poudre
- 1 cuil. à café de paprika
- 4 à 5 tomates épluchées
- 400 g de tomates concassées en boîte
- 2 cuil. à soupe de persil frais haché
- 3 à 4 gousses d'ail écrasées
- 35 cl de bouillon de légumes
- sel et poivre noir du moulin
- olives noires et persil frais, en garniture

1 Préchauffez le four à 190 °C (th. 6). Chauffez 3 cuillerées à soupe d'huile dans une poêle à fond épais et faites dorer l'oignon. Mettez les aubergines à revenir 3 min, puis ajoutez les courgettes, les poivrons vert et rouge ou jaune, les petits pois, les haricots, les pommes de terre et les épices. Salez et poivrez.

2 Laissez cuire encore 3 min, en remuant constamment. Versez dans un plat à four peu profond.

3 Coupez les tomates fraîches en deux, épépinez et hachez puis mélangez dans une jatte avec les tomates en boîte, le persil, l'ail et le reste de l'huile d'olive.

4 Versez le bouillon sur le mélange avec aubergines puis répartissez la préparation de tomates par-dessus.

5 Couvrez et faites cuire le plat au four 30 à 45 min jusqu'à ce que les légumes soient tendres. Servez le ragoût chaud, garni d'olives noires et de persil.

GNOCCHIS DE POMMES DE TERRE

Les gnocchis italiens sont de petites boulettes faites de pommes de terre écrasées et de farine, ou de semoule. Pour qu'ils soient légers et mousseux, ne travaillez pas trop la pâte.

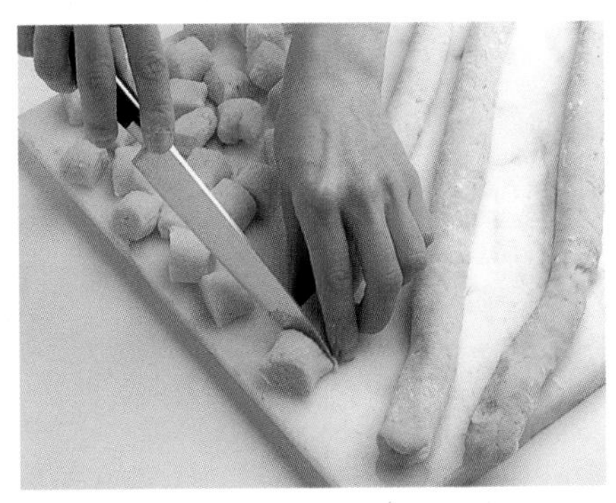

4 Divisez la pâte en 4 portions. Sur une surface farinée, formez chaque portion en un long boudin de 2 cm de diamètre. Coupez transversalement des rondelles de 2 cm.

Pour 4 à 6 personnes

INGRÉDIENTS

- 1 kg de pommes de terre à chair ferme
- 250 à 300 g de farine, plus un peu si nécessaire
- 1 œuf
- 1 pincée de muscade râpée
- 25 g de beurre
- sel
- feuilles de basilic frais et copeaux de parmesan, en garniture

CONSEIL

Les gnocchis sont excellents avec une sauce chaude, comme la bolognaise.

1 Faites cuire les pommes de terre dans leur peau à l'eau bouillante salée, jusqu'à ce qu'elles soient tendres mais sans se défaire. Égouttez et pelez pendant qu'elles sont encore chaudes.

2 Étalez de la farine sur le plan de travail. Passez les pommes de terre chaudes au presse-purée, directement sur la farine. Saupoudrez avec la moitié environ du reste de la farine et mélangez très rapidement. Cassez l'œuf dans le mélange.

3 Terminez en ajoutant la muscade à la pâte et pétrissez légèrement, en ajoutant un peu de farine si le mélange n'est pas assez épais. La pâte est prête quand elle est légère et sèche au toucher.

5 À l'aide de la tranche d'une fourchette, donnez aux gnocchis une forme ovale. Avec les dents de la fourchette, marquez des sillons sur chaque gnocchi, tout en formant un creux sur le dessous avec le pouce.

6 Portez à ébullition une grande casserole d'eau salée, puis plongez environ la moitié des gnocchis dans la casserole.

7 Les gnocchis sont prêts quand ils remontent à la surface, après 3 à 4 min de cuisson. Retirez-les avec une écumoire, égouttez et posez dans un plat creux chaud. Parsemez de beurre. Couvrez pour les tenir au chaud pendant que vous faites cuire le reste. Quand tous les gnocchis sont cuits, tournez-les dans le beurre, garnissez de copeaux de parmesan et de basilic et servez aussitôt.

GNOCCHIS DE POTIRON, SAUCE AUX CHANTERELLES ET AU PERSIL

Les Italiens apprécient beaucoup le potiron et en ajoutent souvent à leurs gnocchis et aux plats de pâtes traditionnels auxquels il apporte sa richesse légèrement sucrée. Ces gnocchis sont délicieux nature, mais aussi avec de la viande ou du gibier.

Pour 4 personnes

INGRÉDIENTS

- 450 g de pommes de terre farineuses
- 450 g de chair de potiron coupée en morceaux
- 2 jaunes d'œufs
- 200 g de farine, plus un peu si nécessaire
- 1 pincée de poudre de cinq-épices
- 2 pincées de cannelle en poudre
- 1 pincée de muscade râpée
- le zeste finement râpé d'1/2 orange
- sel et poivre noir du moulin

Pour la sauce

- 175 g de chanterelles fraîches, émincées ou 20 g de chanterelles sèches, trempées 20 min dans de l'eau chaude, puis égouttées
- 2 cuil. à soupe d'huile d'olive
- 1 échalote finement hachée
- 2 cuil. à café de beurre d'amandes
- 15 cl de crème fraîche
- un peu de lait ou d'eau
- 5 cuil. à soupe de persil frais haché
- 50 g de parmesan râpé

1 Faites cuire les pommes de terre 20 min à l'eau bouillante salée. Égouttez et réservez.

2 Mettez le potiron dans une jatte, couvrez et faites cuire 8 min au four à micro-ondes. Vous pouvez aussi l'envelopper de papier d'aluminium et le faire cuire 30 min au four, à 180 °C (th. 6). Égouttez.

3 Passez le potiron et les pommes de terre au presse-purée dans une jatte. Ajoutez les jaunes d'œufs, la farine, les épices, le zeste d'orange et l'assaisonnement et mélangez bien pour former une pâte souple. Si elle n'est pas assez ferme, ajoutez un peu de farine.

4 Portez à ébullition une grande casserole d'eau salée. Pendant ce temps, étalez de la farine sur la surface de travail. Mettez de la pâte à gnocchis dans une poche à douille équipée avec une douille simple de 1 cm.

5 Posez la pâte sur la farine en un long boudin de 15 cm. Roulez dans la farine et coupez en tronçons de 3 cm. Procédez de même avec le reste de la pâte. Marquez les gnocchis avec les dents d'une fourchette et plongez dans l'eau bouillante. Ils sont prêts quand ils remontent à la surface, après 3 à 4 min de cuisson.

6 Pour la sauce, chauffez l'huile dans une poêle antiadhésive, ajoutez l'échalote et faites dorer sans colorer. Ajoutez les chanterelles, laissez cuire brièvement puis ajoutez le beurre d'amandes. Mélangez pour le faire fondre et ajoutez la crème fraîche. Laissez frémir quelques secondes et rectifiez la consistance avec du lait ou de l'eau. Ajoutez le persil et assaisonnez à votre goût.

7 Retirez les gnocchis de l'eau avec une écumoire ; égouttez bien, posez-les dans des assiettes creuses et arrosez de sauce. Parsemez de parmesan râpé et servez aussitôt.

CONSEILS

Vous pouvez préparer ces gnocchis jusqu'à 8 h à l'avance, vous n'aurez plus ensuite qu'à les cuire. Le beurre d'amandes se trouve dans les boutiques diététiques.

VARIANTES

Transformez ces gnocchis en plat principal végétarien en les servant avec une riche sauce tomate faite maison. Vous pouvez aussi les accompagner d'une ratatouille faite avec des courgettes, des poivrons et des aubergines, cuits longuement avec des tomates, beaucoup d'ail et de l'excellente huile d'olive vierge.

CROQUETTES DE POMMES DE TERRE AU CHÈVRE

Le fromage de chèvre grillé apporte son parfum inimitable à ces croquettes de pommes de terre aux herbes. Servez avec une salade à l'huile de noix.

Pour 2 à 4 personnes

INGRÉDIENTS

- 500 g de pommes de terre farineuses
- 2 fromages de chèvre de 70 g chacun
- 2 cuil. à café de thym frais haché
- 1 gousse d'ail écrasée
- 2 ciboules (avec le vert) finement hachées
- 2 cuil. à soupe d'huile d'olive
- 50 g de beurre
- sel et poivre noir du moulin
- brins de thym, en garniture
- feuilles de salade : chicorée frisée, trévise et mâche par exemple, avec une vinaigrette à l'huile de noix, en accompagnement

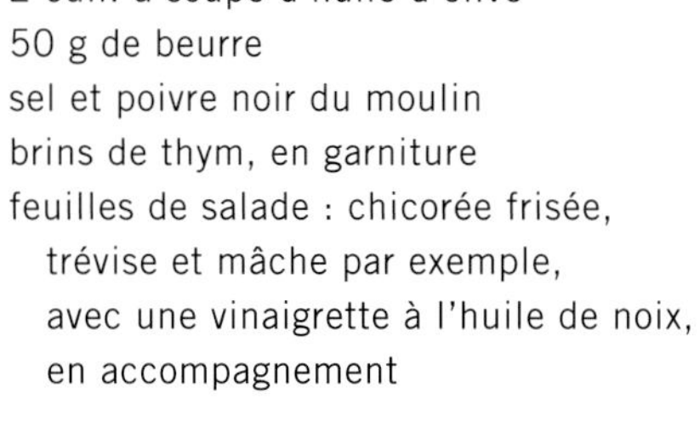

CONSEIL

Ces croquettes de pommes de terre sont parfaites avec l'apéritif. Faites-les deux fois plus petites et servez chaud sur un grand plat.

1 Râpez grossièrement les pommes de terre. Pressez-les entre vos mains pour en exprimer le maximum de liquide, puis mélangez avec le thym, l'ail, les ciboules et l'assaisonnement.

2 Chauffez la moitié de l'huile et du beurre dans une poêle antiadhésive. Ajoutez 2 grosses cuillerées de la préparation précédente, en les espaçant bien et appuyez dessus avec une spatule. Faites dorer 3 à 4 min de chaque côté.

3 Égouttez les croquettes sur du papier absorbant et gardez au chaud à four doux. Chauffez le reste de l'huile et de beurre et faites cuire de même 2 autres croquettes, avec le reste du mélange. Préchauffez le gril.

4 Coupez les fromages en deux horizontalement et posez une moitié, côté coupé vers le haut, sur chaque croquette. Passez 2 à 3 min sous le gril, pour les dorer. Servez les croquettes sur des assiettes, entourées de salade. Garnissez de brins de thym.

GRATIN DE CHAMPIGNONS ET DE NOIX AU BEAUFORT, ET POMMES DE TERRE NOUVELLES

Voici une façon simple et délicieuse de préparer les champignons. Servez ce plat comme le font les Suisses, avec des pommes de terre nouvelles et des cornichons.

Pour 4 personnes

INGRÉDIENTS

- 1 kg de petites pommes de terre nouvelles
- 350 g de champignons sauvages et cultivés assortis, finement émincés
- 50 g de noix brisées grillées
- 175 g de beaufort ou de *fontina* finement émincé
- 50 g de beurre ou 4 cuil. à soupe d'huile d'olive
- sel et poivre noir du moulin
- 12 cornichons et salade mélangée, en accompagnement

1 Faites cuire les pommes de terre 20 min à l'eau bouillante salée. Égouttez et remettez dans la casserole. Ajoutez un peu de beurre ou d'huile et couvrez.

2 Chauffez le reste du beurre ou de l'huile dans une poêle, à feu modéré. Mettez les champignons à suer, puis augmentez le feu et faites bouillir jusqu'à évaporation de l'eau. Assaisonnez.

3 Préchauffez le gril. Étalez le fromage sur les champignons et mettez la poêle sous le gril jusqu'à ce que le dessus bouillonne et dore. Parsemez le gratin de noix et servez aussitôt avec les pommes de terre beurrées et les cornichons émincés. Servez accompagné de salade verte mélangée.

STRUDEL ÉPICÉ AUX POMMES DE TERRE

Ce mélange de légumes goûteux liés d'une sauce épicée crémeuse est enveloppé dans de la pâte filo croustillante. Servez avec des chutneys variés ou une sauce au yaourt.

Pour 4 personnes

INGRÉDIENTS

- 350 g de pommes de terre à chair ferme finement hachées
- 1 oignon haché
- 2 carottes grossièrement râpées
- 1 courgette hachée
- 70 g de beurre
- 2 cuil. à café de pâte de curry douce
- 1/2 cuil. à café de thym séché
- 15 cl d'eau
- 1 œuf battu
- 2 cuil. à soupe de crème liquide
- 50 g de cheddar ou de gruyère râpé
- 8 feuilles de pâte filo (ou de brick)
- graines de sésame
- sel et poivre noir du moulin

1 Dans une grande poêle, faites cuire 5 min l'oignon, les carottes, la courgette et les pommes de terre dans 30 g de beurre, en remuant souvent pour que la cuisson soit uniforme. Ajoutez la pâte de curry et incorporez. Continuez la cuisson encore 1 à 2 min.

2 Ajoutez le thym, l'eau, sel et poivre. Portez à ébullition puis baissez le feu et laissez frémir 10 min, les légumes doivent être tendres.

3 Retirez du feu et laissez refroidir. Versez dans une grande jatte et incorporez l'œuf, la crème liquide et le fromage. Mettez au frais jusqu'au moment de garnir la pâte filo.

4 Faites fondre le reste du beurre. Étalez 4 feuilles de pâte filo, en les faisant se chevaucher légèrement pour former un grand rectangle. Enduisez de beurre fondu et posez les autres feuilles pardessus. Enduisez à nouveau de beurre.

5 Préchauffez le four à 190 °C (th. 6). Posez la garniture sur un long côté puis roulez la pâte. Formez un cercle et posez sur une plaque à pâtisserie. Enduisez avec le reste du beurre et parsemez de graines de sésame.

6 Faites cuire le strudel au four 25 min, il doit être doré et croustillant. Laissez reposer 5 min avant de le couper.

Très bon

TORTILLA AUX POMMES DE TERRE ET AUX POIVRONS

La tortilla *est un plat traditionnel espagnol, sorte d'épaisse omelette aux pommes de terre, à déguster tiède ou froide, coupée en parts, parfaite pour les pique-niques. Prenez un fromage espagnol à pâte dure comme le* mahón, *ou bien de la tomme de brebis ou du cantal.*

Pour 4 personnes

INGRÉDIENTS

- 3 pommes de terre moyennes à chair ferme
- 2 poivrons, 1 vert et 1 rouge, épépinés et finement émincés
- 3 cuil. à soupe d'huile d'olive, et un peu plus si nécessaire
- 1 gros oignon finement émincé
- 2 gousses d'ail écrasées
- 4 œufs battus
- 125 g de fromage fort râpé
- sel et poivre noir du moulin

VARIANTE

Vous pouvez remplacer les poivrons par des légumes émincés et légèrement cuits, comme des champignons, des courgettes ou des brocolis. Les pâtes ou le riz brun peuvent également se substituer aux pommes de terre.

1 Faites cuire partiellement les pommes de terre 10 min à l'eau salée. Égouttez et laissez un peu refroidir. Émincez en tranches épaisses. Préchauffez le gril.

2 Dans une grande poêle antiadhésive allant au four, chauffez l'huile sur feu modéré. Mettez l'oignon, l'ail et les poivrons à cuire 5 min, pour les attendrir.

3 Ajoutez les pommes de terre et continuez la cuisson, en remuant de temps à autre, jusqu'à ce qu'elles soient tendres.

4 Ajoutez la moitié des œufs battus et la moitié du fromage, puis versez le reste des œufs. Assaisonnez et terminez par du fromage. Continuez la cuisson à petit feu sans remuer, en couvrant à demi la poêle avec un couvercle, pour que les œufs prennent.

5 Quand la *tortilla* est ferme, mettez la poêle sous le gril brûlant pour dorer légèrement le dessus. Laissez la *tortilla* refroidir dans la poêle. Servez-la à température ambiante, coupée en parts.

POMMES DE TERRE ET HARICOTS ROUGES À LA CHINOISE

L'Orient rencontre l'Occident dans ce plat de style américain teinté de chinois dont la sauce est particulièrement goûteuse. Régalez-vous avec cette recette originale.

Pour 4 personnes

INGRÉDIENTS

- 4 pommes de terre fermes moyennes
- 400 g de haricots rouges en boîte, égouttés
- 2 cuil. à soupe d'huile de tournesol ou d'arachide
- 3 ciboules émincées
- 1 gros piment frais, épépiné et émincé
- 2 gousses d'ail écrasées
- 2 cuil. à soupe de sauce de soja
- 1 cuil. à soupe d'huile de sésame
- 1 cuil. à soupe de graines de sésame, en garniture
- coriandre fraîche ou persil haché(e), en garniture
- sel et poivre noir du moulin

1 Faites cuire les pommes de terre à l'eau bouillante jusqu'à ce qu'elles soient juste tendres. Égouttez et réservez.

2 Chauffez l'huile dans une grande poêle ou un wok, à feu modéré. Ajoutez les ciboules et le piment et faites cuire 1 min environ, puis ajoutez l'ail et poêlez encore quelques secondes.

3 Incorporez les pommes de terre, puis les haricots et, pour finir, la sauce de soja et l'huile de sésame.

4 Assaisonnez à votre goût et continuez la cuisson pour chauffer à cœur tous les légumes. Saupoudrez de graines de sésame et de coriandre ou de persil et servez chaud.

POMMES DE TERRE ET TOMATES GRECQUES AU FOUR

C'est une variante d'un plat grec classique que l'on fait généralement cuire sur le feu. Une cuisson complémentaire au four donne ici un arôme plus intense à ce plat.

Pour 4 personnes

INGRÉDIENTS

- 1 kg de pommes de terre fermes de grosseur égale
- 4 grosses tomates mûres pelées, épépinées et hachées
- 12 cl d'huile d'olive
- 1 gros oignon finement émincé
- 3 gousses d'ail écrasées
- persil plat, en garniture

CONSEIL

Les pommes de terre doivent être enrobées d'huile sur toutes les faces pour que la cuisson soit uniforme.

1 Préchauffez le four à 180 °C (th. 6). Chauffez l'huile dans une cocotte pouvant aller au four. Faites cuire l'oignon et l'ail 5 min, jusqu'à ce qu'ils soient souples et à peine dorés.

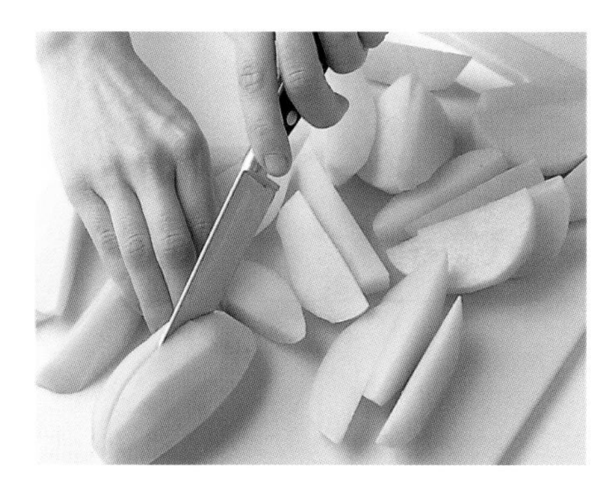

2 Ajoutez les tomates dans la cocotte, assaisonnez, laissez cuire 1 min. Coupez les pommes de terre en rondelles, mettez-les dans la poêle. Laissez cuire 10 min, assaisonnez, couvrez hermétiquement.

3 Mettez la cocotte couverte sur une plaque au milieu du four et faites cuire 45 min à 1 h. Garnissez de persil plat.

TORTILLA AU FROMAGE ET AUX PIMENTS, PETITE SALADE DE TOMATES

Aussi bonne chaude que froide, voici une sorte de quiche sans pâte, relevée de piment. Vous pouvez supprimer le piment de la salade, si vous la préférez moins forte.

Pour 4 personnes

INGRÉDIENTS

- 250 g de pommes de terre cuites froides, finement émincées
- 125 g de fromage râpé à pâte ferme mais non dure : tomme de Savoie, saint-nectaire ou fromage espagnol *manchego*
- 2 à 3 piments verts *jalapeños* épépinés et émincés
- 3 cuil. à soupe d'huile d'olive ou de tournesol
- 1 petit oignon finement émincé
- 4 œufs battus
- sel et poivre noir du moulin
- herbes fraîches, en garniture

Pour la salade

- 500 g de tomates fraîches bien parfumées, pelées, épépinées et finement hachées
- 1 piment vert doux frais, épépiné et finement haché
- 2 gousses d'ail écrasées
- 3 cuil. à soupe de coriandre fraîche hachée
- le jus d'1 citron vert
- 1/2 cuil. à café de sel

1 Pour préparer la salade, mélangez intimement dans une jatte les tomates avec le piment haché, l'ail, la coriandre, le jus de citron vert et le sel.

2 Chauffez 1 cuillerée à soupe d'huile dans une grande poêle et faites cuire l'oignon et les piments 5 min à feu doux, en remuant. Ajoutez les pommes de terre et laissez cuire 5 min, jusqu'à ce qu'elles soient dorées, sans briser les rondelles.

3 Retirez les légumes avec une écumoire et mettez-les dans une assiette chaude. Essuyez la poêle avec du papier absorbant, puis chauffez le reste de l'huile. Remettez les légumes dans la poêle, parsemez de fromage, assaisonnez.

4 Ajoutez les œufs battus, en les faisant bien pénétrer sous les légumes. Faites cuire à feu doux, sans remuer, jusqu'à ce que la *tortilla* soit prise. Servez-la chaude ou froide, coupée en parts, garnie d'herbes fraîches et avec la salade.

FRITTATA AUX POMMES DE TERRE ET AUX POIVRONS

La frittata, sorte de grande omelette, est ici garnie de pommes de terre et parfumée de menthe. Si vous en trouvez, préférez la menthe fraîche à la menthe sèche.

Pour 3 à 4 personnes

INGRÉDIENTS

- 500 g de petites pommes de terre nouvelles
- 2 poivrons rouges épépinés et grossièrement hachés
- 6 œufs
- 2 cuil. à soupe de menthe fraîche hachée
- 2 cuil. à soupe d'huile d'olive
- 1 oignon haché
- 2 gousses d'ail écrasées
- sel et poivre noir du moulin
- brins de menthe, en garniture

1 Faites cuire les pommes de terre dans leur peau à l'eau bouillante, elles doivent être juste tendres. Égouttez, laissez tiédir, coupez en tranches épaisses.

2 Dans une jatte, battez les œufs avec la menthe, sel et poivre. Réservez. Chauffez l'huile dans une grande poêle allant au four.

3 Mettez à cuire l'oignon, l'ail, les poivrons et les pommes de terre pendant 5 min, en remuant.

4 Versez les œufs sur les légumes dans la poêle et mélangez.

5 Poussez le mélange vers le centre de la poêle pour permettre aux œufs encore liquides de se glisser sur le fond. Préchauffez le gril.

6 Quand la *frittata* est presque prise, placez la poêle 2 à 3 min sous le gril brûlant, jusqu'à ce que le dessus soit bien doré.

7 Servez la *frittata* chaude ou froide, coupée en parts empilées sur le plat de service et garnies de brins de menthe.

POMMES DE TERRE AU FROMAGE PERSILLÉ ET AUX NOIX

Ces petites pommes de terre fermes, nappées de fromage persillé fondant qui contraste avec le croquant des noix, accompagneront délicieusement le rôti du déjeuner. Vous pouvez aussi les servir pour le dîner, avec une salade verte.

Pour 4 personnes

INGRÉDIENTS

- 500 g de petites pommes de terre nouvelles
- 125 g de fromage persillé écrasé
- 50 g de noix brisées
- quelques côtes de céleri finement émincées
- 1 petit oignon rouge émincé
- 15 cl de crème liquide
- 2 cuil. à soupe de persil frais haché
- sel et poivre noir du moulin

VARIANTES

Vous pouvez associer plusieurs fromages persillés, comme le *dolcelatte* et le roquefort, ou n'utiliser qu'un seul fromage fort, comme le gorgonzola ou le *stilton*. Vous pouvez aussi remplacer les noix par des noisettes.

1 Faites cuire les pommes de terre dans leur peau dans une grande casserole d'eau bouillante, 15 min, jusqu'à ce qu'elles soient tendres, en ajoutant le céleri émincé et l'oignon dans la casserole 5 min avant la fin de la cuisson.

2 Égouttez les légumes dans une passoire et mettez-les dans un plat de service peu profond.

3 Dans une petite casserole, faites fondre lentement le fromage dans la crème liquide, en remuant de temps à autre. Retirez du feu juste avant le point d'ébullition.

4 Assaisonnez à votre goût. Versez la sauce sur les légumes du plat et parsemez de morceaux de noix et de persil frais. Servez chaud.

RACLETTE SUR POMMES DE TERRE ET OIGNONS CONFITS

Traditionnelle en Suisse comme en France, la raclette fondante et veloutée se marie ici avec la douceur sucrée des oignons rouges.

Pour 4 personnes

INGRÉDIENTS

Pour les oignons

- 2 oignons rouges émincés
- 1 cuil. à café de sucre
- 6 cuil. à soupe de vinaigre de vin rouge
- 1/2 cuil. à café de sel
- 1 bonne pincée d'aneth séché

Pour les pommes de terre

- 500 g de petites pommes de terre nouvelles, coupées en deux si elles sont trop grosses
- 250 g de fromage à raclette en tranches
- sel et poivre noir du moulin

1 Mettez les oignons dans un saladier en verre, couvrez d'eau bouillante et laissez refroidir.

2 Mélangez le sucre, le vinaigre, le sel et l'aneth dans une petite casserole. Faites dissoudre le sucre à feu doux. Laissez refroidir.

3 Égouttez les oignons et jetez l'eau, remettez-les dans le saladier et arrosez avec le mélange précédent. Laissez macérer au moins 1 h, ou toute la nuit de préférence, pour avoir de bons oignons confits.

4 Faites cuire les pommes de terre dans leur peau à l'eau bouillante jusqu'à ce qu'elles soient tendres, égouttez, mettez dans un plat à four et assaisonnez. Préchauffez le gril. Posez la raclette sur les pommes de terre. Mettez le plat sous le gril pour faire fondre le fromage. Servez chaud. Égouttez les oignons confits et servez avec les pommes de terre.

CONSEIL

Pour aller plus vite, achetez du fromage à raclette prétranché que vous trouverez dans tous les supermarchés et chez les crémiers.

TERRINE DE LÉGUMES

Cette association de légumes et d'herbes superposés et cuits au four dans une terrine tapissée de feuilles d'épinards est délicieuse chaude, accompagnée d'une simple salade.

Pour 6 personnes

INGRÉDIENTS

- 500 g de pommes de terre à chair ferme
- 3 poivrons rouges coupés en deux
- 125 g de feuilles d'épinards sans les queues
- 1 courgette moyenne émincée en long et blanchie
- 25 g de beurre
- 1 pincée de muscade râpée
- 125 g de cheddar ou de gruyère râpé
- sel et poivre noir du moulin
- tomates et laitue, en accompagnement

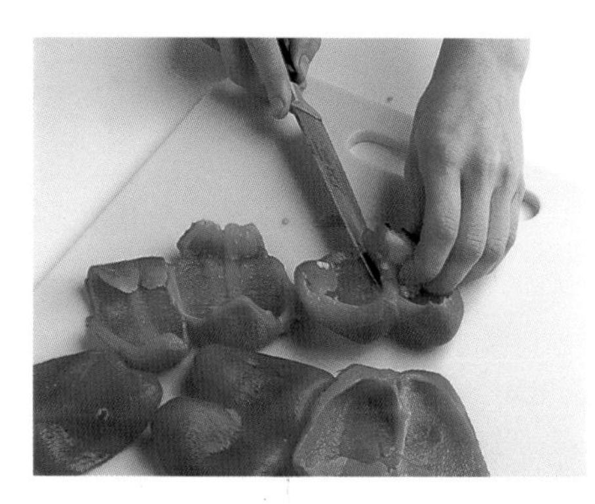

1 Préchauffez le four à 180 °C (th. 6). Faites rôtir 30 à 45 min les poivrons posés dans un plat à four, sans les éplucher, ils doivent être noircis. Retirez du four et laissez refroidir dans un sac en plastique. Pelez les poivrons et retirez le cœur. Coupez les pommes de terre en deux et faites bouillir 10 à 15 min.

2 Faites blanchir les épinards quelques secondes à l'eau bouillante. Égouttez et séchez sur du papier absorbant. Tapissez-en une terrine de 1,5 litre, en superposant partiellement les feuilles.

3 Émincez finement les pommes de terre et posez-en 1/3 sur le fond de la terrine, parsemez d'un peu de beurre et assaisonnez de sel, poivre et muscade. Saupoudrez d'un peu de fromage.

4 Disposez 3 moitiés de poivrons sur les pommes de terre. Parsemez de fromage puis étalez les courgettes. Ajoutez encore 1/3 des pommes de terre et le reste des poivrons et du fromage, en assaisonnant au fur et à mesure. Terminez par des pommes de terre et saupoudrez du reste de fromage. Repliez les feuilles d'épinards sur le tout. Couvrez avec du papier d'aluminium.

5 Placez la terrine dans un grand plat à four et versez de l'eau bouillante tout autour, jusqu'à mi-hauteur. Faites cuire 45 min à 1 h. Retirez du four et démoulez. Servez la terrine en tranches, avec de la laitue et des tomates.

GRATIN DE POMMES DE TERRE À LA FETA ET AUX OLIVES

Les pommes de terre finement émincées sont cuites à l'huile d'olive avec de la feta et des olives vertes et noires. Ce plat est excellent servi avec du pain pita.

Pour 4 personnes

INGRÉDIENTS

- 1 kg de pommes de terre
- 275 g de feta émiettée
- 125 g d'olives noires et vertes dénoyautées
- 15 cl d'huile d'olive
- 1 brin de romarin
- 30 cl de bouillon de légumes bouillant
- sel et poivre noir du moulin

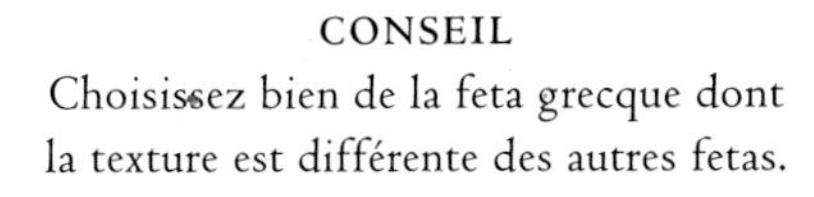

CONSEIL

Choisissez bien de la feta grecque dont la texture est différente des autres fetas.

1 Préchauffez le four à 200 °C (th. 8). Faites cuire les pommes de terre 15 min dans beaucoup d'eau bouillante. Égouttez et laissez tiédir. Pelez les pommes de terre et émincez finement.

2 Enduisez d'huile d'olive au pinceau le fond et les côtés d'un plat à four rectangulaire de 1,5 litre.

3 Étalez dans le plat 1 couche de pommes de terre, parsemez de romarin, de fromage et d'olives, puis recommencez. Arrosez avec le reste de l'huile d'olive et le bouillon. Assaisonnez le tout de sel et de beaucoup de poivre.

4 Faites cuire 35 min au four, en couvrant de papier d'aluminium si le dessus brûle. Servez ce gratin directement dans le plat.

PAINS ET PÂTISSERIES

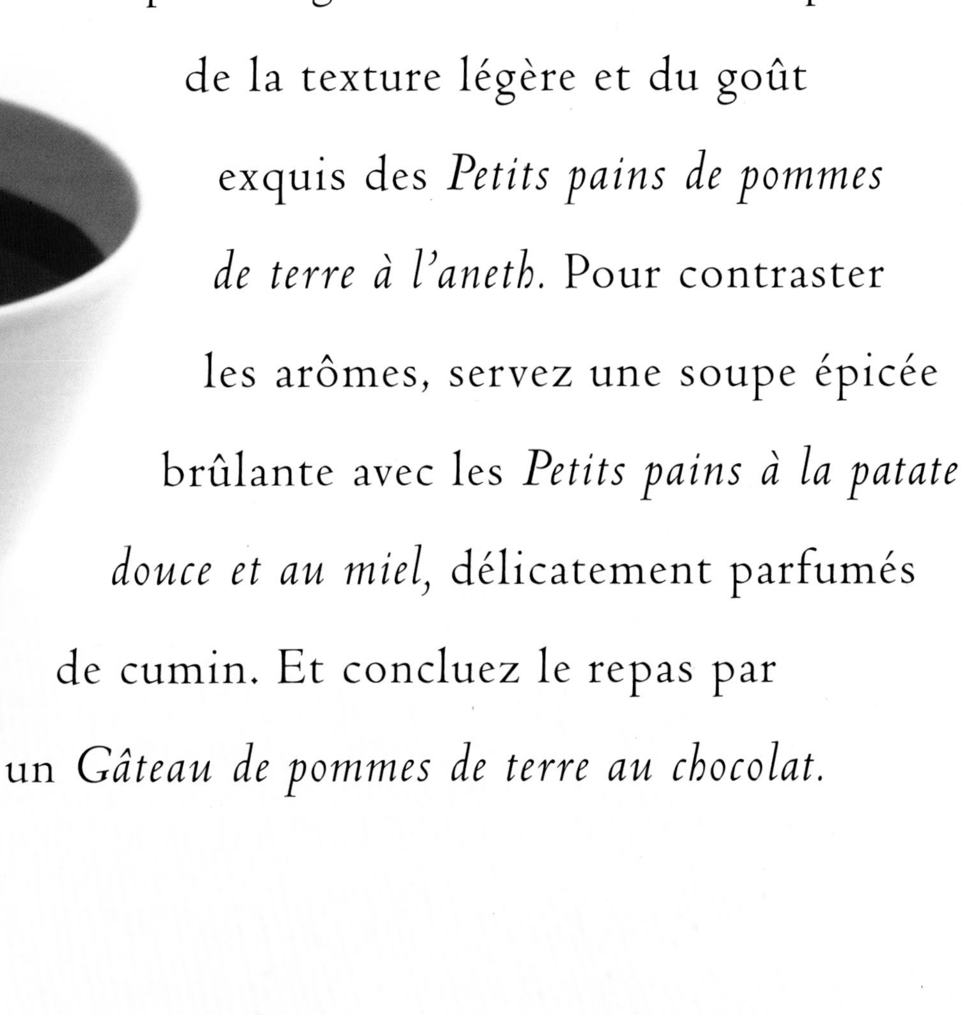

Les pommes de terre jouent un rôle important dans de nombreux pains régionaux. Vous serez surpris de la texture légère et du goût exquis des *Petits pains de pommes de terre à l'aneth*. Pour contraster les arômes, servez une soupe épicée brûlante avec les *Petits pains à la patate douce et au miel*, délicatement parfumés de cumin. Et concluez le repas par un *Gâteau de pommes de terre au chocolat*.

PAIN AUX POMMES DE TERRE, À L'OIGNON ET AU FROMAGE

Ce pain tressé est couronné de fromage et d'oignons. Il ne se coupe pas, mais il se « casse », ou plutôt se rompt, pour que chaque portion ait sa part du dessus croustillant. Il est particulièrement savoureux quand il est encore chaud.

Pour 1 pain de 900 g

INGRÉDIENTS

- 225 g de pommes de terre farineuses
- 350 g de farine
- 1 cuil. à café et 1/2 de levure de boulanger
- 25 g de beurre coupé en dés
- 50 g d'olives noires ou vertes dénoyautées
- 30 cl d'eau tiède

Pour le dessus

- 1 oignon émincé en anneaux
- 50 g de cheddar vieux ou de comté râpé
- 2 cuil. à soupe d'huile d'olive
- sel et poivre noir du moulin

1 Coupez les pommes de terre en petits morceaux. Faites-les cuire 15 à 20 min à l'eau bouillante, elles doivent être tendres.

2 Mélangez la farine, la levure et un peu de sel dans une jatte. Incorporez le beurre du bout des doigts, pour obtenir un mélange ressemblant à de la chapelure. Égouttez les pommes de terre et écrasez-les. Ajoutez aux ingrédients secs avec l'eau tiède.

3 Mélangez le tout avec un couteau à lame arrondie puis retournez sur une surface farinée. Pétrissez environ 5 min. Remettez la pâte dans une jatte et couvrez avec un torchon humide. Laissez gonfler 1 h, elle doit doubler de volume. Retournez la pâte sur une surface farinée et enfoncez-la avec le poing pour évacuer les bulles d'air. Ajoutez les olives et pétrissez pour les incorporer. Coupez la pâte en 3 morceaux.

4 Roulez chaque morceau en 1 long boudin. Tressez les 3 boudins *(voir Conseil, ci-contre).* Posez sur une plaque à pâtisserie beurrée. Couvrez avec un torchon humide et laissez lever 30 min, la pâte doit doubler de volume.

5 Pour le dessus, préchauffez le four à 220 °C (th. 8). Chauffez l'huile dans une casserole et faites cuire les oignons 10 min, ils doivent être dorés.

6 Retirez les oignons de la casserole et égouttez sur du papier absorbant.

7 Éparpillez les oignons et le fromage râpé sur le pain, puis faites-le cuire 20 min au four.

CONSEIL

Pour tresser 1 pain, posez les 3 « boudins » de pâte côte à côte. Tressez à partir du centre jusqu'à une extrémité, puis faites de même de l'autre côté. Vous obtiendrez ainsi une tresse régulière, à l'aspect professionnel.

PETITS PAINS À LA PATATE DOUCE ET AU MIEL

Ces petits pains sucrés sont tout aussi délicieux avec de la confiture qu'avec une soupe salée.

Pour 12 petits pains

INGRÉDIENTS

- 1 grosse patate douce
- 1 cuil. à café de miel liquide
- 225 g de farine
- 1 cuil. à café de levure de boulanger
- 1 pincée de muscade râpée
- 1 pincée de graines de cumin
- 20 cl de lait tiède
- huile pour graisser la plaque

1 Faites cuire la patate douce 45 min à l'eau bouillante, elle doit être très tendre. Préchauffez le four à 220 °C (th. 8).

2 Tamisez la farine dans une grande jatte, ajoutez la levure, la muscade et les graines de cumin. Mélangez bien.

3 Mélangez le miel avec le lait. Égouttez la patate douce et épluchez-la. Écrasez la chair, puis ajoutez-la à la farine, avec le lait.

4 Formez une pâte et pétrissez 5 min sur une surface farinée. Mettez la pâte dans une jatte et couvrez avec un torchon humide. Laissez lever 30 min.

5 Retournez la pâte sur la table et enfoncez-la avec le poing pour évacuer les bulles d'air. Divisez la pâte en 12 morceaux que vous formerez en ronds.

6 Mettez les ronds sur une plaque graissée. Couvrez avec un torchon humide et laissez lever 30 min dans un endroit chaud, ils doivent doubler de volume.

7 Faites cuire les pains 10 min au four. Retirez les pains du four, arrosez-les de miel liquide et parsemez-les de graines de cumin avant de servir.

CONSEIL

La pâte étant assez collante, farinez abondamment la surface sur laquelle vous la pétrissez et l'étalez.

PAIN À LA PATATE DOUCE, AUX NOIX ET À LA CANNELLE

C'est un excellent pain pour le brunch, particulièrement bon avec du bacon croustillant.

Pour 1 pain de 900 g

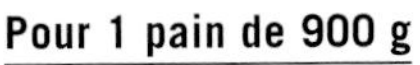

INGRÉDIENTS

- 1 patate douce moyenne
- 50 g de noix brisées
- 1 cuil. à café de cannelle en poudre
- 450 g de farine
- 1 cuil. à café de levure de boulanger
- 30 cl de lait chaud
- sel et poivre noir du moulin
- huile pour graisser le moule

CONSEIL

Pour que le pain soit très croustillant, remettez-le au four après l'avoir démoulé, en le posant à l'envers sur la grille du four. Laissez cuire encore 5 min.

1 Faites cuire la patate douce 45 min à l'eau bouillante, elle doit être tendre.

2 Mélangez la cannelle et la farine dans une grande jatte. Incorporez la levure de boulanger.

3 Égouttez la patate et laissez refroidir dans de l'eau froide, puis pelez-la. Écrasez la chair avec une fourchette et mélangez aux ingrédients secs avec les noix.

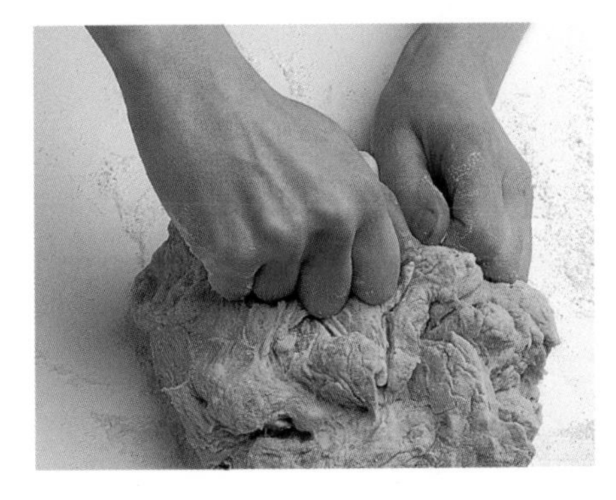

4 Faites un puits au milieu et versez le lait. Formez en pâte avec un couteau à lame arrondie, posez sur une surface farinée et pétrissez 5 min.

5 Remettez la pâte dans une jatte et couvrez d'un linge humide. Laissez lever 1 h, afin qu'elle double de volume. Tapissez de papier cuisson le fonds d'un moule à cake de 1,5 litre et huilez-le. Retournez la pâte sur la table et enfoncez avec le poing pour évacuer les bulles d'air. Pétrissez encore, en ajoutant de la farine si elle paraît collante. Formez-la en boule et placez dans le moule. Couvrez d'un linge humide et laissez lever 1 h dans un endroit chaud, la pâte doit doubler de volume.

6 Préchauffez le four à 200 °C (th. 7). Faites cuire 25 min au milieu du four. Démoulez et tapotez le fond, s'il sonne creux le pain est cuit. Laissez refroidir sur une grille.

PAIN DE POMMES DE TERRE AUX OIGNONS CARAMÉLISÉS ET AU ROMARIN

Le romarin et les oignons contenus dans ce pain lui apportent une note méditerranéenne. Il est délicieux encore chaud, avec une simple soupe de légumes.

Pour 1 pain de 900 g

INGRÉDIENTS

- 125 g de pommes de terre râpées
- 2 oignons moyens émincés en anneaux
- 1 brin de romarin haché
- 450 g de farine
- 1 cuil. à café de levure de boulanger
- 1 pincée de sel pour la pâte
- 15 g de beurre
- 30 cl de lait tiède
- 1 cuil. à soupe d'huile d'olive
- 1/2 cuil. à café de fleur de sel
- huile pour graisser le moule et en garniture

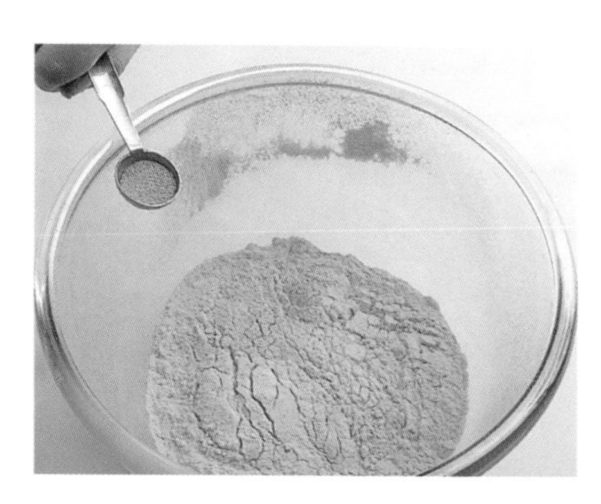

1 Mélangez la farine, la levure et 1 pincée de sel dans une grande jatte. Incorporez le beurre du bout des doigts pour obtenir un mélange ressemblant à de la chapelure. Ajoutez peu à peu le lait tiède.

2 Mélangez avec un couteau à lame arrondie puis, lorsque les ingrédients humides sont incorporés, formez une pâte avec les doigts.

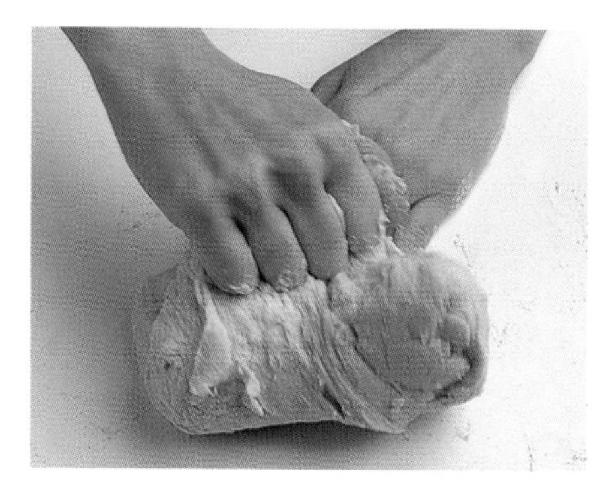

3 Retournez la pâte sur la table et pétrissez 5 min sur la surface de travail farinée, jusqu'à ce que la pâte soit lisse et élastique. Remettez dans la jatte et couvrez avec un linge humide. Laissez lever 45 min dans un endroit chaud, la pâte doit doubler de volume.

4 Chauffez l'huile dans une casserole et ajoutez les oignons, mélangez à feu doux et laissez cuire environ 20 min, les oignons doivent être dorés et très souples. Réservez.

5 Portez à ébullition une casserole d'eau légèrement salée et ajoutez les pommes de terre râpées. Laissez cuire 5 min, elles doivent être juste tendres. Égouttez et plongez dans l'eau froide.

6 Retournez la pâte et enfoncez-la avec le poing. Étalez sur une surface farinée. Égouttez les pommes de terre et éparpillez la moitié sur la pâte avec un peu de romarin et la moitié des oignons. Roulez la pâte en enfermant la farce.

7 Mettez la pâte dans un moule carré huilé de 23 cm. Avec la paume des mains, aplatissez-la pour qu'elle remplisse le moule. Éparpillez le reste des pommes de terre et des oignons sur le dessus avec la fleur de sel et le romarin.

8 Couvrez à nouveau d'un linge humide et laissez lever 20 min.

9 Préchauffez le four à 220 °C (th. 8). Faites cuire le pain au four 15 à 20 min. Servez-le chaud, arrosé avec un peu d'huile d'olive.

CONSEIL

Si vous n'aimez pas les oignons trop dorés, couvrez le pain de papier d'aluminium après 10 min de cuisson, pour empêcher la surface de brûler. Râpez les pommes de terre avec une râpe à gros trous, pour éviter qu'elles deviennent collantes après avoir été blanchies.

VARIANTE

Pour un pain plus goûteux, ajoutez aux oignons des tomates séchées au soleil, conservées à l'huile, égouttées et hachées, et des olives noires dénoyautées. Du thym frais apportera une note parfumée subtile.

PAIN DE POMMES DE TERRE RUSSE

Les pommes de terre sont un aliment de base en Russie et remplacent souvent la farine dans les recettes de pain. Cela donne un pain moelleux, délicieux servi tout simplement avec du beurre. Ce pain vite fait se garde très bien.

Pour 1 pain

INGRÉDIENTS

- 225 g de pommes de terre farineuses coupées en dés
- beurre pour graisser la plaque
- 6 g de levure de boulanger
- 350 g de farine blanche
- 120 g de farine complète, plus un peu pour saupoudrer la pâte
- 1/2 cuil. à café de graines de carvi
- 2 cuil. à café de sel
- 25 g de beurre coupé en dés

1 Graissez une plaque à pâtisserie. Faites cuire les pommes de terre à l'eau bouillante jusqu'à ce qu'elles soient tendres. Égouttez, en réservant 15 cl de l'eau de cuisson. Écrasez les pommes de terre en purée et laissez-les refroidir.

2 Mélangez la levure, la farine blanche, la farine complète, le carvi et le sel dans une grande jatte. Incorporez le beurre du bout des doigts pour obtenir un mélange à consistance de chapelure.

3 Mélangez l'eau de cuisson réservée et les pommes de terre écrasées. Ajoutez peu à peu ce mélange dans la farine pour former une pâte souple.

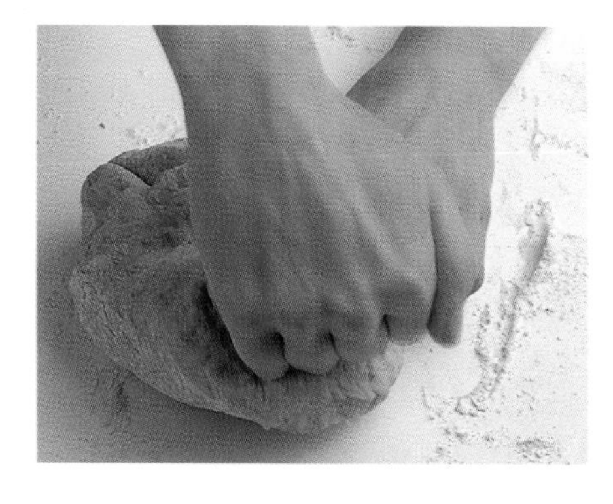

4 Retournez sur une surface légèrement farinée et pétrissez 8 à 10 min, pour donner une pâte lisse et élastique.

5 Mettez la pâte dans une grande jatte légèrement huilée, couvrez avec un film plastique huilé et laissez lever 1 h environ dans un endroit chaud, la pâte doit doubler de volume.

6 Retournez la pâte sur une surface légèrement farinée, enfoncez avec le poing et pétrissez délicatement. Formez une miche ovale de 20 cm de long environ. Placez sur la plaque à pâtisserie préparée et poudrez d'un peu de farine complète.

7 Couvrez avec un film plastique huilé et laissez lever 30 min dans un endroit chaud, la pâte doit doubler de volume.

8 Préchauffez le four à 200 °C (th. 7). À l'aide d'un couteau aiguisé, pratiquez 3 à 4 incisions dans la pâte, en biais et en croix.

9 Faites cuire 30 à 45 min au four, jusqu'à ce que le pain soit doré et sonne creux lorsque vous tapotez la base. Laissez refroidir sur une grille.

VARIANTE

Supprimez les graines de carvi et pétrissez avec du fromage râpé ou émietté (cheddar, bleu d'Auvergne, mimolette, etc.) avant de former la pâte en ovale.

KARTOFFELBROT

Voici une variante du pain allemand traditionnel, réalisée avec de la farine blanche et des pommes de terre farineuses.

Pour 1 pain de 500 g

INGRÉDIENTS

- 175 g de pommes de terre cuites et écrasées
- beurre pour graisser le moule
- 225 g de farine blanche
- 2 cuil. à café de levure chimique
- 1 cuil. à café de sel
- 1 cuil. à soupe d'huile végétale
- paprika pour saupoudrer le pain
- beurre moutardé, en accompagnement

CONSEIL

Ce pain est délicieux chaud avec des lichettes de beurre moutardé.

1 Préchauffez le four à 230 °C (th. 8-9). Tapissez de papier cuisson un moule à cake de 1 litre et graissez-le.

2 Tamisez la farine dans une grande jatte et mélangez avec la levure et le sel.

3 Mélangez intimement les pommes de terre avec les ingrédients secs.

4 Incorporez l'huile et 20 cl d'eau tiède. Mettez la pâte dans le moule et saupoudrez de paprika. Faites cuire 25 min au four. Démoulez sur une grille et laissez refroidir. Coupez le pain en tranches épaisses et servez avec du beurre moutardé.

PAIN AUX AIRELLES, AU LARD ET AUX POMMES DE TERRE

Voici une association originale d'airelles, de lard et de pommes de terre. Les airelles colorent les tranches en leur donnant un air de fête.

Pour 1 pain de 450 g

INGRÉDIENTS

- 225 g de pommes de terre farineuses coupées en deux
- 75 g d'airelles fraîches, ou surgelées et décongelées
- 6 tranches de lard découenné, coupées en lardons
- 450 g de farine blanche
- 1 cuil. à café de levure de boulanger
- 1 cuil. à café de sel
- 25 g de beurre coupé en dés
- 35 cl d'eau tiède
- huile pour graisser le moule
- 2 cuil. à soupe de miel liquide
- sel et poivre noir du moulin

1 Mélangez la farine, la levure et 1 cuillerée à café de sel dans une jatte. Incorporez le beurre du bout des doigts pour former un mélange ressemblant à de la chapelure. Faites un puits au centre et incorporez l'eau.

2 Formez une pâte avec un couteau à lame arrondie, puis retournez sur une surface farinée. Pétrissez 5 min. Mettez la pâte dans une jatte et couvrez avec un linge humide. Laissez lever 1 h, la pâte doit doubler de volume.

CONSEIL

Si vous ne trouvez pas d'airelles, remplacez-les par des grains de maïs.

3 Mettez la pâte sur la table et enfoncez-la avec le poing pour éliminer les bulles d'air. Pétrissez quelques minutes. Ajoutez les airelles et pétrissez. Étalez la pâte en un rectangle et placez dans un moule à tarte carré de 23 cm, huilé. Poussez la pâte dans les angles et couvrez avec un linge humide. Laissez lever 30 min dans un endroit chaud.

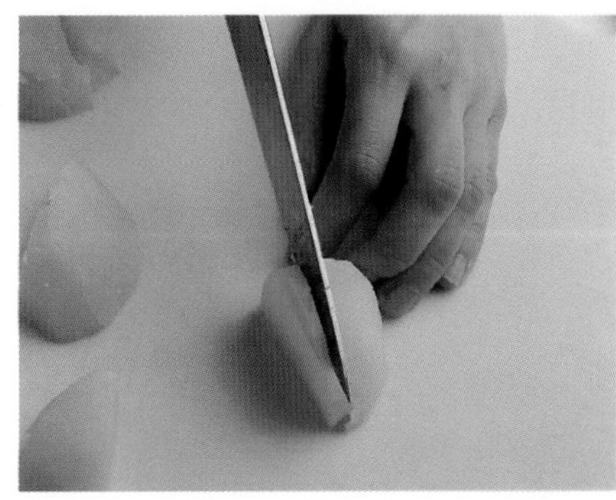

4 Préchauffez le four à 220 °C (th. 8). Faites cuire les pommes de terre 15 min à l'eau bouillante salée, jusqu'à ce qu'elles soient juste tendres. Égouttez et émincez finement.

5 Étalez les pommes de terre et le lard sur la pâte levée, assaisonnez et arrosez de miel. Faites cuire 25 min au four, en couvrant de papier d'aluminium après 20 min, pour l'empêcher de brûler.

6 Retirez du four et démoulez sur une grille. Remettez 5 min au four pour rendre le dessous croustillant. Laissez refroidir le pain sur la grille.

TORTILLONS AUX POMMES DE TERRE ET AU FROMAGE

Ces tortillons avec le fromage fondu dans le pain sont parfaits pour faire des sandwiches. Ils peuvent être fourrés de saumon fumé acidulé avec un jus de citron.

Pour 8 tortillons

INGRÉDIENTS

- 225 g de pommes de terre coupées en dés
- 175 g de mimolette ou de cantal finement râpé(e)
- 225 g de farine blanche
- 1 cuil. à café de levure de boulanger
- 15 cl d'eau tiède
- 2 cuil. à soupe d'huile d'olive pour graisser la plaque
- sel

1 Faites cuire les pommes de terre dans une grande casserole d'eau bouillante légèrement salée, 20 min ou jusqu'à ce qu'elles soient tendres. Égouttez dans une passoire et remettez dans la casserole. Écrasez en purée et laissez refroidir.

2 Mélangez la farine, la levure et 1 bonne pincée de sel dans une grande jatte. Incorporez les pommes de terre du bout des doigts pour former un mélange à consistance de chapelure.

3 Faites un puits au milieu et versez l'eau tiède dans le puits. Commencez par mélanger avec un couteau à lame arrondie, puis continuez à la main. Pétrissez 5 min sur une surface bien farinée. Remettez la pâte dans la jatte. Couvrez avec un linge humide et laissez lever au chaud 1 h, jusqu'à ce que la pâte ait doublé de volume.

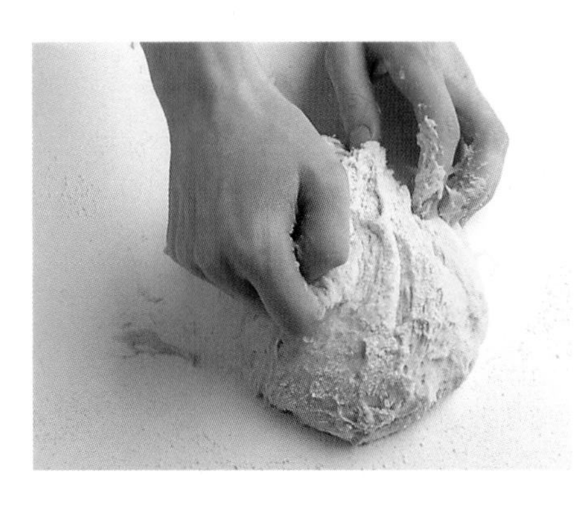

4 Posez la pâte sur la table et enfoncez-la avec le poing pour évacuer les bulles d'air. Pétrissez quelques secondes.

5 Divisez la pâte en 12 morceaux que vous formerez en boules.

6 Éparpillez le fromage sur une tôle à pâtisserie. Roulez chaque boule de pâte dans le fromage.

7 Roulez chaque boule enrobée de fromage sur une surface sèche, en 1 long boudin. Rapprochez les 2 extrémités et tordez le boudin. Posez les tortillons de pain sur une plaque à pâtisserie huilée.

8 Couvrez avec un linge humide et laissez lever 30 min dans un endroit chaud. Préchauffez le four à 220 °C (th. 8). Faites cuire les pains 10 à 15 min.

CONSEIL

Ces tortillons se gardent 3 jours en restant frais et moelleux s'ils sont rangés dans une boîte hermétique en plastique alimentaire.

VARIANTE

Tout fromage à pâte dure et ayant du goût convient. Le cheddar vieux est traditionnel, mais vous pouvez essayer du fromage fumé ou un fromage aux herbes. Pour donner un « sandwich » substantiel, fourrez avec du jambon à l'os, des tranches fines de lard grillé et croustillant alternées avec des tranches d'avocat, ou 1 œuf dur mayonnaise.

PETITS PAINS À LA PATATE DOUCE

Ces petits pains sont tout à fait fameux. Colorés en orange par la patate douce, ils fondent dans la bouche et ne réclament qu'une noisette de beurre.

Pour environ 24 petits pains

INGRÉDIENTS

- 150 g de purée de patate douce
- beurre pour graisser la plaque
- 150 g de farine
- 4 cuil. à café de levure chimique
- 1 cuil. à café de sel
- 1 cuil. à soupe de sucre roux
- 15 cl de lait
- 50 g de beurre ou de margarine fondu(e)

1 Préchauffez le four à 230 °C (th. 8-9). Graissez une plaque à pâtisserie. Mélangez la farine avec la levure chimique et le sel dans une jatte. Incorporez le sucre.

2 Dans une autre jatte, mélangez intimement la purée de patate douce avec le lait et le beurre fondu (ou la margarine).

3 Ajoutez la farine au mélange précédent et formez une pâte. Posez sur une surface légèrement farinée et pétrissez jusqu'à ce qu'elle soit souple et élastique.

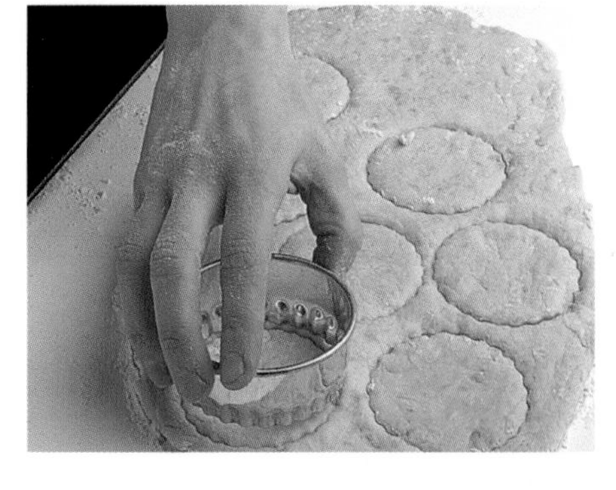

4 Étalez la pâte au rouleau ou à la main sur une épaisseur de 1 cm. Découpez des ronds avec un emporte-pièce de 4 cm.

5 Placez les ronds sur la plaque. Faites cuire 15 min au four, les petits pains doivent être gonflés et dorés. Servez chaud.

PETITS PAINS IRLANDAIS AU GRIL

Les Irlandais les appellent aussi gâteaux de pommes de terre. Ils peuvent être servis chauds avec du beurre et de la confiture, ou avec du lard grillé, pour le petit déjeuner.

Pour 6 petits pains

INGRÉDIENTS

- 225 g de pommes de terre farineuses coupées en morceaux de grosseur égale
- 120 g de farine
- 1/2 cuil. à café de sel
- 1/2 cuil. à café de levure chimique
- 50 g de beurre coupé en dés, plus un peu pour graisser le gril
- 1 cuil. à soupe 1/2 de lait
- minces tranches de lard grillé, en accompagnement

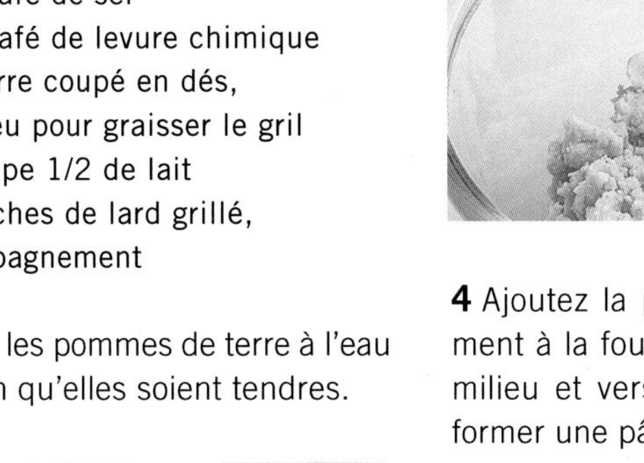

1 Faites cuire les pommes de terre à l'eau bouillante afin qu'elles soient tendres.

2 Égouttez les pommes de terre et remettez-les dans la casserole, à feu vif. Avec une cuillère en bois tournez-les 1 min sur le feu pour qu'elles sèchent complètement. Retirez du feu. Écrasez bien pour obtenir une purée lisse.

3 Mélangez la farine avec le sel et la levure dans une jatte. Incorporez le beurre du bout des doigts pour obtenir un mélange ressemblant à de la chapelure.

4 Ajoutez la purée et mélangez intimement à la fourchette. Faites un puits au milieu et versez le lait. Mélangez pour former une pâte lisse.

5 Retournez sur une surface farinée et pétrissez 5 min, jusqu'à ce que la pâte soit souple et élastique. Étalez en un disque de 5 mm d'épaisseur. Coupez en deux puis chaque moitié en 6 parts.

6 Avant de cuire les petits pains, faites griller des tranches fines de lard fumé pour les accompagner. Gardez au chaud à four doux.

7 Graissez un gril ou une poêle et chauffez. Mettez les parts de pâte à cuire 3 à 4 min pour bien les dorer, en les retournant une fois. Servez les petits pains chauds avec le lard.

PETITS PAINS DE POMMES DE TERRE À L'ANETH

Ces petits pains de pommes de terre parfumés à l'aneth sont très bons, simplement servis avec du beurre. Si vous voulez les rendre plus nourrissants, couronnez-les de saumon, de hareng ou de maquereau fumés.

Pour 10 petits pains environ

INGRÉDIENTS

- 175 g de pommes de terre écrasées
- 1 cuil. à soupe de d'aneth frais haché
- huile pour graisser la plaque
- 225 g de farine avec levain incorporé
- 40 g de beurre ramolli
- 1 pincée de sel
- 3 cuil. à soupe de lait

CONSEIL

Si vous n'avez pas d'aneth, vous pouvez le remplacer par l'herbe aromatique de votre choix – persil ou cerfeuil, par exemple.

1 Préchauffez le four à 230 °C (th. 8-9). Graissez une plaque à pâtisserie. Versez la farine dans une jatte et incorporez le beurre du bout des doigts. Ajoutez le sel et l'aneth et mélangez.

2 Ajoutez les pommes de terre en purée au mélange et assez de lait pour donner une pâte souple et lisse.

3 Retournez sur une surface farinée et étalez au rouleau sur une faible épaisseur. Découpez des disques, avec un emporte-pièce de 8 cm.

4 Mettez les petits pains sur la plaque préparée en les espaçant et faites cuire 20 à 25 min au four, jusqu'à ce qu'ils soient dorés et gonflés. Servez chaud.

PETITS GÂTEAUX SALÉS AUX POMMES DE TERRE

Ces petits gâteaux légers, parfumés de moutarde douce et de fromage, sont excellents pour le petit déjeuner, avec des œufs brouillés et des tomates grillées.

Pour 16 petits gâteaux

INGRÉDIENTS

- 175 g de pommes de terre farineuses coupées en dés
- 120 g de farine avec levain incorporé
- 1 cuil. à café de moutarde douce
- 1 œuf battu
- 25 g de cheddar râpé
- 15 cl de lait
- huile pour graisser le gril
- sel et poivre noir du moulin
- beurre, en accompagnement

CONSEIL

Utilisez plutôt un gril plat qu'un gril cannelé, ces gâteaux étant très petits et très minces.

1 Faites cuire les pommes de terre à l'eau bouillante salée, 20 min ou jusqu'à ce qu'elles soient tendres. Égouttez et écrasez en purée.

2 Versez dans une grande jatte, puis ajoutez la farine, la moutarde, l'œuf, le fromage et le lait.

3 Battez bien pour mélanger intimement. Assaisonnez.

4 Chauffez un gril et enduisez d'huile. Laissez tomber des cuillerées à soupe du mélange sur le gril et faites cuire 1 à 2 min. Retournez et faites griller l'autre face. Faites ainsi 16 petits gâteaux. Servez chaud avec du beurre.

MUFFINS DE PATATE DOUCE AUX RAISINS SECS

Depuis toujours les muffins font partie du breakfast *anglo-saxon. Ici, la patate douce ajoute sa couleur et son arôme aux autres ingrédients, plus traditionnels.*

Pour 12 muffins

INGRÉDIENTS

- 1 grosse patate douce
- 50 g de raisins secs
- 350 g de farine
- 1 cuil. à soupe de levure chimique
- 1 œuf battu
- 225 g de beurre fondu
- 25 cl de lait
- 50 g de sucre en poudre
- sel
- sucre glace, pour saupoudrer les muffins

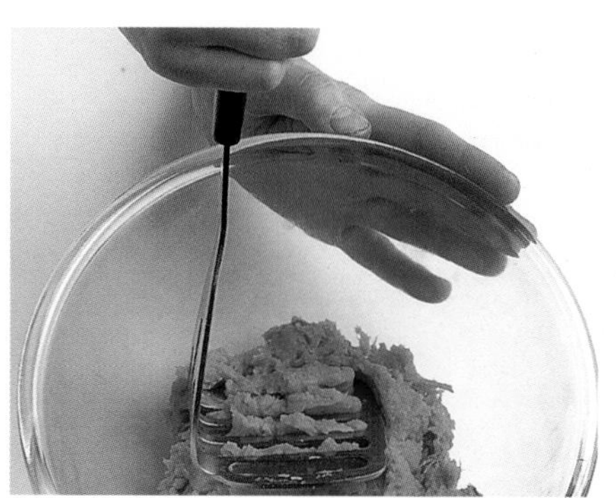

1 Faites cuire la patate douce dans beaucoup d'eau bouillante, 45 min, jusqu'à ce qu'elle soit très tendre. Égouttez et quand elle est tiède, pelez-la. Mettez dans une grande jatte et écrasez bien.

2 Préchauffez le four à 220 °C (th. 8). Ajoutez la farine, la levure chimique et 1 pincée de sel à la purée de patate, et mélangez. Incorporez l'œuf.

3 Mélangez le beurre et le lait et ajoutez au mélange précédent. Incorporez les raisins secs et le sucre, puis mélangez brièvement.

4 Versez le mélange dans des collerettes en papier, dans une plaque à 12 alvéoles.

5 Faites cuire les muffins 25 min, ils doivent être dorés. Saupoudrez de sucre glace et servez les muffins chauds.

PETITS PAINS DE POMMES DE TERRE AUX TROIS HERBES

Ces petits pains parfumés sont excellents servis chauds et fendus en deux, garnis de jambon et de copeaux de parmesan.

Pour 12 petits pains

INGRÉDIENTS

- 25 g de purée de pommes de terre en flocons
- 1 cuil. à soupe de persil frais haché
- 1 cuil. à soupe de basilic frais haché
- 1 cuil. à soupe d'origan frais haché
- 225 g de farine avec levain incorporé
- 1 cuil. à café de levure chimique
- 1 pincée de sel
- 50 g de beurre coupé en dés
- 15 cl de lait
- huile pour graisser la plaque

1 Préchauffez le four à 180 °C (th. 6). Mélangez la farine avec la levure chimique dans une jatte. Ajoutez 1 pincée de sel. Incorporez le beurre du bout des doigts. Mettez les flocons de pommes de terre dans une jatte et versez 20 cl d'eau bouillante. Battez bien et laissez tiédir.

2 Incorporez la purée dans les ingrédients secs avec les herbes et le lait.

3 Mélangez pour former une pâte. Renversez sur une surface farinée et pétrissez très délicatement quelques minutes, pour obtenir une pâte souple.

CONSEIL

Ne salez pas trop le mélange, la levure chimique faisant ressortir le goût salé qui risque de dissimuler le parfum et la saveur délicats des herbes.

4 Étalez la pâte au rouleau sur une surface farinée, sur une épaisseur de 4 cm, et découpez des disques avec un emporte-pièce de 8 cm. Reformez les restes de pâte en boule et découpez d'autres disques. Mettez-les sur une plaque à pâtisserie graissée et passez un peu de lait au pinceau sur le dessus.

5 Faites cuire 15 à 20 min au four et servez ces petits pains chauds, nature ou fourrés d'une garniture.

GÂTEAU DE POMMES DE TERRE AU CHOCOLAT

Voici un gâteau moelleux et très riche, recouvert d'un fin glaçage au chocolat. Prenez un chocolat noir à pâtisserie de bonne qualité et servez avec de la crème fouettée.

Pour 1 gâteau de 23 cm de diamètre

INGRÉDIENTS

- 175 g de pommes de terre écrasées
- 275 g de chocolat noir
- huile pour graisser le moule
- 200 g de sucre
- 200 g de beurre
- 4 œufs, les blancs séparés des jaunes
- 75 g de poudre d'amandes
- 225 g de farine avec levain incorporé
- 1 cuil. à café de cannelle
- 3 cuil. à soupe de lait
- copeaux de chocolat noir et blanc, en garniture
- crème fouettée, en accompagnement

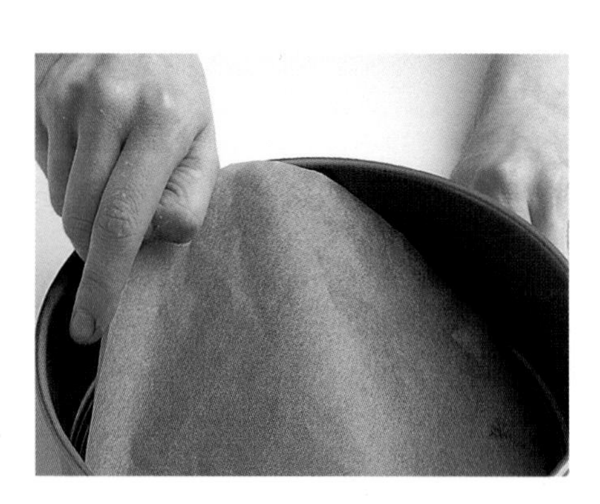

1 Préchauffez le four à 180 °C (th. 6). Tapissez de papier cuisson le fond d'un moule à gâteau rond de 23 cm de diamètre et graissez-le.

2 Dans une grande jatte, battez le sucre et 175 g de beurre en crème jusqu'à obtention d'un mélange mousseux. Incorporez un par un les jaunes d'œufs dans le mélange, en battant bien pour obtenir une crème légère et mousseuse.

3 Hachez ou râpez finement 175 g de chocolat et incorporez dans le mélange précédent avec les amandes en poudre. Passez les pommes de terre écrasées à travers une passoire ou un presse-purée et incorporez au mélange.

4 Tamisez la farine avec la cannelle et incorporez dans le mélange avec le lait.

CONSEIL

Vous pouvez faire fondre le chocolat au four à micro-ondes. Mettez les morceaux de chocolat dans un bol en plastique (il risque de brûler dans un récipient en verre). Chauffez à puissance maximale pendant 1 min, mélangez, puis chauffez à nouveau 1 min, en vérifiant après 30 s si le chocolat est fondu.

5 Fouettez les blancs d'œufs en neige ferme, puis incorporez-les au mélange précédent.

6 Versez la préparation dans le moule préparé et lissez le dessus, mais faites un léger creux au milieu pour que la surface reste plane après cuisson. Faites cuire au four 1 h 15, jusqu'à ce que la lame d'un couteau glissée au centre du gâteau ressorte sèche. Laissez tiédir dans le moule puis démoulez et laissez refroidir sur une grille.

7 Cassez le reste du chocolat dans une jatte résistant à la chaleur et posez sur une casserole d'eau bouillante. Ajoutez le reste du beurre en petits morceaux et mélangez bien jusqu'à ce que le chocolat soit fondu et le mélange lisse et luisant.

8 Retirez le papier du fond du gâteau et égalisez le dessus pour qu'il soit bien plat. Versez le glaçage au chocolat sur le dessus et lissez. Laissez durcir. Décorez de copeaux de chocolat noir et blanc et servez avec de la crème fouettée.

INDEX

E

F

G

H

I-J

K

L

M

N

O

P

REMERCIEMENTS

Parmi les nombreuses personnes et organisations qui ont patiemment répondu à mes questions insistantes au téléphone, par fax ou courrier électronique, Alex Barker et les éditeurs désirent remercier : Three Countries Potatoes, (David Chappel de Newport, Norman Hosking de Penzance, Morrice Innes de Aberdeenshire et Andrew McQueen de Shrewsbury) – en particulier pour avoir fourni tant d'échantillons de pommes de terre pour les photographies ; Alan Wilson (Agronomis and Potato Specialist to Waitrose) et *The Story of the Potato,* d'Alan Wilson, publié par Alan Wilson ; Alan Romans – et son *Guide to Seed Potato Varieties* publié par the Henry Doubleday Research Organisation, Ryton Organic Gardens, Coventry CV8 3LG UK ; David Turnbull et Stuart Carnegie de la Scottish Agricultural Science Agency ; Nicola Bark de Vegfed, Huddart Parker Building, Post Oggice Square, PO Box 10232, Wellington, New Zealand Tél. 644472 3795 Fax 644471 2861 ; Lori Wing, The Potato Association of America, University of Maine, 5715 Coburn Hall, #6 Orono, ME 04469 5715 : Kathleen Haynes, Dr Alvin Reeves, Carl Duivenvoorden, New Brunswick Agriexport Inc, 850 Lincoln Rd PO Box 1101, Station A, Fredericton, New Brunswick, Canada E3B 5C2 Tél. 506 453 2890 Fax 506 453 7170 ; Peter Boswall, Prince Edward Island Agriculture & Forestry, PO Box 1600, Charlottetown, Prince Edward Island, Canada CIA 7N3 Tél. 902 368 5600 Fax 902 368 5729 ; Ann Bord Glas, 8-11 Lower Baggot Street, Dublin 2 ; Dr F Ezeta et Christine Graves, The International Potato Center, Lima, Pérou ; The British Potato Council, 43000 Nash Court, John Smith Drive, Oxford Business Park, South, Oxford 00X4 2RT ; Phil Harlock à Covent Garden Market, Londres SW8 5LR ; Collin Randel, Mr Fothergill's Seeds, Kentford, Newmarket, Suffolg CB8 7QB Tél. 01638 751 161 Fax 01638 751 624.

Sans oublier les nombreux autres compagnies, fermiers, producteurs et experts dans le monde entier qui ont bien voulu répondre à mes nombreuses questions.

Pour les échantillons de pommes de terre photographiés : Glens de Antrim Potatoes, Red Bay, Cushendall, Co Antrim, BT44 OSH ; ASDA ; J Sainsbury plc ; Waitrose.

Pour le prêt généreux du matériel photographique : David Mellor, 4 Sloane Square, Londres SW1 Tél. 0171 730 4259 ; Divertimenti, 139-141 Fulham Rd Londres SW3 6SD Écosse Tél. 0181 246 4300 ; Elizabeth David Cookshop, Covent Garden, Londres WC 2 Tél. 0171 836 9167 ; Kenwood Ltd, New Lane, Havant Hampshire PO9 2NH Tél. 01705 476 000 ; Magimix UK Ltd, 115A High Street, Godalming, Surrey GU7 1AQ Tél. 01483 427 411

Pour la maquette et de nombreuses recherches téléphoniques, merci à Stephanie England.

Crédits photographiques
Toutes les photographies ont été prises par Steve Moss (pommes de terre et techniques), Sam Stowell (recettes) et Walt Chrynwski (pommes de terre États-Unis), sauf les suivantes : p. 6 (haut et bas), p. 7 (haut), p. 8 E. T. Archive ; p. 7 (bas) Illustrated London News ; p. 9 (bas) The British Potato Council ; p. 10 (milieu et bas) The International Potato Centre, Pérou.